Astrología práctica

La guía definitiva de los tránsitos astrológicos, la astrología predictiva, la lectura de cartas natales y mucho más

© Copyright 2023

Todos los derechos reservados. Ninguna parte de este libro puede ser reproducida de ninguna forma sin el permiso escrito del autor. Los revisores pueden citar breves pasajes en las reseñas.

Descargo de responsabilidad: Ninguna parte de esta publicación puede ser reproducida o transmitida de ninguna forma o por ningún medio, mecánico o electrónico, incluyendo fotocopias o grabaciones, o por ningún sistema de almacenamiento y recuperación de información, o transmitida por correo electrónico sin permiso escrito del editor.

Si bien se ha hecho todo lo posible por verificar la información proporcionada en esta publicación, ni el autor ni el editor asumen responsabilidad alguna por los errores, omisiones o interpretaciones contrarias al tema aquí tratado.

Este libro es solo para fines de entretenimiento. Las opiniones expresadas son únicamente las del autor y no deben tomarse como instrucciones u órdenes de expertos. El lector es responsable de sus propias acciones.

La adhesión a todas las leyes y regulaciones aplicables, incluyendo las leyes internacionales, federales, estatales y locales que rigen la concesión de licencias profesionales, las prácticas comerciales, la publicidad y todos los demás aspectos de la realización de negocios en los EE. UU., Canadá, Reino Unido o cualquier otra jurisdicción es responsabilidad exclusiva del comprador o del lector.

Ni el autor ni el editor asumen responsabilidad alguna en nombre del comprador o lector de estos materiales. Cualquier desaire percibido de cualquier individuo u organización es puramente involuntario.

Su regalo gratuito

¡Gracias por descargar este libro! Si desea aprender más acerca de varios temas de espiritualidad, entonces únase a la comunidad de Mari Silva y obtenga el MP3 de meditación guiada para despertar su tercer ojo. Este MP3 de meditación guiada está diseñado para abrir y fortalecer el tercer ojo para que pueda experimentar un estado superior de conciencia.

https://livetolearn.lpages.co/mari-silva-third-eye-meditation-mp3-spanish/

Tabla de contenidos

INTRODUCCIÓN..1
CAPÍTULO 1: INTRODUCCIÓN A LA ASTROLOGÍA PRÁCTICA 3
CAPÍTULO 2: LOS PLANETAS..10
CAPÍTULO 3: SABER MÁS CON NODOS Y ASTEROIDES 19
CAPÍTULO 4: LOS DOCE SIGNOS DEL ZODIACO....................................28
CAPÍTULO 5: RECORRIDO POR LAS DOCE CASAS 40
CAPÍTULO 6: PRINCIPALES ASPECTOS PLANETARIOS......................50
CAPÍTULO 7: ASPECTOS PLANETARIOS SECUNDARIOS....................57
CAPÍTULO 8: INTERPRETAR CARTAS NATALES..................................65
CAPÍTULO 9: TRÁNSITOS PLANETARIOS...72
CAPÍTULO 10: PROGRESIONES PLANETARIAS.....................................80
BONUS: ¡LA PRÁCTICA ASTROLÓGICA HACE AL MAESTRO! 89
CONCLUSIÓN..94
VEA MÁS LIBROS ESCRITOS POR MARI SILVA 96
SU REGALO GRATUITO..97
RECURSOS 98

Introducción

La astrología existe desde hace mucho tiempo y es más antigua y compleja de lo que la mayoría de los occidentales creen. La astrología ha surgido con diversas aplicaciones, propósitos, métodos y áreas de interés en las antiguas culturas de Mesopotamia, Grecia y otras civilizaciones humanas primitivas. Durante mucho tiempo se ha recurrido a la astrología para reflexionar sobre sí mismo, conocer la naturaleza y la personalidad de los demás, entender las relaciones e incluso para saber qué depara el futuro.

Aunque algunos aspectos de la astrología se han asociado a prácticas como la adivinación, el culto y los dogmas religiosos (sobre todo en la antigüedad), la mayoría de las corrientes ve la astrología como algo que atraviesa la vida cotidiana en un sentido muy práctico. Esto es especialmente cierto hoy en día y, como verá en este libro, la astrología es algo en lo que cualquiera puede adentrarse con facilidad y alcanzar un nivel de competencia significativo.

El objetivo de este libro es enseñar todo lo necesario, no solo para empezar a estudiar astrología, sino también para aplicarla en la vida y sacarle el máximo provecho. Nos centramos en la astrología práctica, pero para realizar esta práctica correctamente, es necesario aprender mucho sobre el funcionamiento interno de esta antigua disciplina. La astrología es un tema muy popular hoy en día, especialmente en Occidente, por lo que no hay escasez de literatura sobre el tema. Sin embargo, muchos libros de astrología son bastante complicados y enrevesados y no hacen un buen trabajo ayudando a los principiantes a introducirse en la astrología práctica de una manera concisa, completa y comprensible. Las instrucciones prácticas también garantizan un alto grado de aplicabilidad una vez que se ha absorbido todo lo que enseñan los capítulos siguientes.

Como probablemente ha notado, aunque todo el mundo conoce la astrología, la mayoría no se compromete con ella más allá de leer el horóscopo diario durante la hora de la cena. Si quiere ir más allá y ver lo que la astrología práctica ofrece a un nivel más profundo, este libro es precisamente la guía que necesita. Al explorar los entresijos de cómo funciona e influye la astrología en la vida y cómo funcionan cosas como las cartas natales, se dará cuenta de que hay un mundo completo sobre el que aprender y profundizar.

Le sorprenderá darse cuenta de la influencia que tienen los planetas sobre usted. Cuando termine este libro, encontrará muchas coincidencias entre sus experiencias y lo que dicen los astros. Y lo que es más importante, aprenderá cosas nuevas sobre usted mismo y su vida. Estos descubrimientos pueden abrir nuevos caminos interesantes de los que quizá no era consciente antes.

Capítulo 1: Introducción a la astrología práctica

Como se ha mencionado brevemente, la astrología es una herramienta antigua que la humanidad ha utilizado durante milenios. Ninguna práctica o filosofía puede perdurar tanto tiempo y hacerse más popular con el tiempo sin aportar cosas interesantes. A través de generaciones, culturas, naciones, religiones y civilizaciones, la astrología se ha utilizado para echar un vistazo al futuro y, lo que es más importante, a las propias personas. Con el tiempo, la astrología ha evolucionado y cambiado bastante, tanto en su complejidad como en la forma de aplicarla prácticamente. También se ha adaptado a las diferentes culturas y a sus intereses particulares, contribuyendo al desarrollo general de la práctica.

Mucho de lo que se habla en este libro proviene de la astrología occidental, que es el foco principal. Antes de entrar en los detalles de cómo funciona la astrología occidental hoy en día, hay un capítulo introductorio para explorar los usos más antiguos de la astrología y la forma en que se desarrolló gradualmente hasta llegar a donde está hoy en día. También se establecen algunos de los fundamentos de la astrología práctica, que proporcionan una sólida comprensión de todo lo que se trata en los capítulos siguientes.

Historia de la astrología y su difusión en Occidente

Hubo un tiempo en que la historia de la astrología era, en cierto modo, también la historia de la astronomía. En la antigüedad, se observaban los cuerpos celestes en el cielo y se intentaba aprender sobre ellos, lo que dio lugar a las historias que se han contado. Al mismo tiempo, los antiguos se preguntaban cómo afectaban los planetas y estrellas a sus vidas. La astronomía y la astrología tardaron un tiempo en separarse en disciplinas claramente diferentes, adoptando la primera un método estrictamente científico. La segunda, por su parte, tomó el camino de lo espiritual, emocional e intangible.

Probablemente, todo empezó en la antigua Mesopotamia, alrededor del año 3000 a. C. o antes, cuando la gente empezó a preguntarse por las estrellas. Las primeras civilizaciones, como la sumeria, sentían fascinación por las disposiciones celestes que veían. Alrededor del año 3000 a. C., empezaron a identificar, nombrar y registrar lo que veían. Incluso antes de eso, los sumerios realizaron pinturas rupestres y otras representaciones de los planetas y sus movimientos, especialmente del sol y la luna, que consideraban que tenían una gran influencia en nuestro mundo. Se ha descubierto que estas representaciones se remontan al año 5000 a. C.

Gracias a la aguda capacidad de la mente humana para detectar patrones, estos pueblos no tardaron en tomar nota de las constelaciones más destacadas. Los babilonios contribuyeron considerablemente a aislar y nombrar varias constelaciones y cuerpos celestes. Esta civilización comenzó a florecer después del siglo XVIII a. C. y fue responsable de la creación de un zodiaco primitivo. Este se basaba simplemente en la secuencia de constelaciones en el cielo. Los babilonios observaban los planetas del sistema solar moviéndose delante de estas constelaciones o a través de su trayectoria.

Con el tiempo, los babilonios dividieron el zodiaco en doce zonas iguales, basadas en doce constelaciones fácilmente discernibles. A varias de estas constelaciones les dieron nombres de animales y otras cosas de la vida cotidiana y la cultura. Con el tiempo, estos conceptos se extendieron y llegaron a la antigua Grecia, al noroeste, donde el sistema recibió el nombre de *zodiakos kyklos*, que significa «círculo animal». Estos fueron los inicios de la astrología en Europa y, posteriormente, en el mundo occidental.

Probablemente, la astrología empezó a tomar su forma actual cuando la gente empezó a darse cuenta de que ciertas posiciones y acontecimientos celestes tendían a correlacionarse con los sucesos de nuestro planeta. Los antiguos babilonios construyeron las llamadas torres estelares, que utilizaban únicamente para observar mejor el universo visible. Algunas de las primeras anotaciones que hicieron sobre el cielo incluían el hecho de que algunas estrellas y planetas parecían permanecer inmóviles, mientras que otros se movían por el cielo. Esta primera observación, muy rudimentaria, allanó el camino para otras observaciones y no pasó mucho tiempo para que se desarrollara toda una disciplina alrededor de la observación de los cielos.

Al principio, los antiguos asociaban movimientos y alineaciones planetarias con acontecimientos terrenales que consideraban importantes, como la coronación de los reyes. Poco tiempo después, la gente empezó a hacer todo tipo de asociaciones y asignar connotaciones religiosas a las estrellas, y fue entonces cuando la astronomía y la astrología se despegaron realmente. Aparte de las antiguas culturas mesopotámicas, como los sumerios y los acadios (babilonios), los antiguos egipcios también incluían las estrellas en su culto.

Egipto fue probablemente la fuente de la que partió la astrología hacia la antigua Grecia. Es difícil decirlo con absoluta certeza, pero una teoría dice que Persia adoptó ciertas tradiciones tras sus conquistas en Egipto antes de ser conquistada por Alejandro Magno. Las tres culturas tenían algún tipo de práctica astrológica. Las conquistas de Alejandro condujeron a la fusión de estas tradiciones y, posteriormente, a la aparición de la astrología helenística, también conocida como astrología tradicional. Esta es una de las escuelas antiguas de astrología que persiste hasta nuestros días. A partir de entonces, los antiguos griegos desarrollaron mucho la astrología y sus disciplinas al tiempo que realizaban avances en astronomía.

Esta fusión de tradiciones se produjo durante los siglos III y II a. C. en Alejandría, en lo que entonces era el Egipto helénico, bajo la dinastía ptolemaica, establecida por Alejandro Magno durante sus conquistas. Los eruditos de Alejandría fueron quienes adoptaron la astrología babilónica de Mesopotamia y la combinaron con las tradiciones astrológicas prehelénicas de Egipto. Así surgió el concepto de astrología horoscópica tal y como lo conocemos hoy en día. Las tradiciones babilónicas aportaron la idea de la rueda zodiacal y las exaltaciones planetarias, entre otros elementos. Posteriormente, el zodiaco se dividió en 36 partes de diez grados, según las ideas egipcias, que se adaptaron a los dioses griegos y sus correspondientes planetas y a los elementos y el gobierno de los signos.

Algunos de los avances más importantes de esta primera astrología occidental se deben al astrónomo y astrólogo griego y romano Ptolomeo. Ptolomeo vivió entre los años 100 y 170 d. C. en Alejandría, en la época romana de Egipto. Uno de sus principales aportes a la astrología horoscópica fue el *Tetrabiblos* («Cuatro libros»). Estos escritos sentaron las bases del desarrollo posterior de la astrología occidental y fueron legendarios para los astrólogos durante los dos milenios siguientes. El texto se tradujo al latín en el siglo XII y a partir de entonces circuló por toda la Europa medieval, lo que contribuyó a extender su influencia.

Antes de que se reavivara el interés de Europa por la astrología, esta avanzó considerablemente en el mundo árabe durante la Edad Media europea, ya que sus enseñanzas estaban mal vistas por el dogma cristiano establecido. Los árabes difundieron esta práctica durante sus expansiones en los siglos VII y VIII por Asia, el cercano Oriente y el norte de África. Más allá de la astrología horoscópica, en esa época los árabes mantuvieron un gran interés por la astronomía y los descubrimientos de Ptolomeo, construyendo observatorios y desarrollando aparatos como el astrolabio. Tenían en gran estima la astrología como medio de predecir el futuro y como fuente de orientación en la vida cotidiana.

El verdadero resurgimiento de la astrología en Europa se produjo durante el Renacimiento. A finales de este periodo, en el siglo XVII, la astrología occidental había recorrido un largo camino y se había vuelto bastante compleja. Durante al menos tres milenios, había evolucionado hasta convertirse en una práctica enriquecida por grandes culturas, lo que la convertía en una fusión única a medio camino entre la ciencia y la divinidad. A lo largo del Renacimiento, la astrología fue una práctica a la que científicos, intelectuales y filósofos consumados se dedicaron a menudo como proyecto paralelo. Así fue como se abrió camino en las universidades, el arte, la literatura e incluso la arquitectura, impregnando todas las facetas del mundo occidental.

La astrología entró en un periodo de declive a partir de finales del siglo XVII. Es difícil decir cuál fue la causa de este declive. Sin embargo, es probable que se debiera a una mezcla de factores que van desde un giro brusco hacia la ciencia rígida y dura hasta la intolerancia de la clase dirigente religiosa, especialmente en el mundo católico. No hay constancia de que las autoridades religiosas persiguieran a los astrólogos en Occidente. Aun así, el creciente escepticismo de la Iglesia católica hacia esta práctica probablemente contribuyó a un fuerte descenso de la popularidad y la práctica de la astrología en los ámbitos político y social.

La llegada del método científico moderno y de los principios newtonianos a la ciencia asestó el golpe definitivo a la astrología como práctica establecida en todos los estratos de la sociedad. Antes del siglo XVII, la astrología se practicaba incluso en el sistema judicial, pero eso cambió lentamente a partir del siglo XVII. En la segunda mitad del siglo XVIII, la astrología fue desterrada de las universidades, lo que la apartó de los círculos intelectuales occidentales. Además de empujar a la astrología hacia aguas más oscuras, estos cambios afectaron la calidad de la práctica. Con el paso del tiempo, menos intelectuales y científicos se dedicaron a ella, lo que redujo el ritmo de desarrollo de la disciplina.

No obstante, la astrología perseveró como práctica y objeto de gran fascinación durante los dos siglos siguientes, hasta que experimentó un resurgimiento significativo en el siglo XX. Se podría incluso afirmar que la astrología está ahora más popularizada que nunca en los últimos milenios. De hecho, ha vuelto a introducirse lentamente en los círculos intelectuales, con un número creciente de académicos interesados.

Bases de la astrología práctica

Aunque muchas mentes estrictamente científicas consideran que la astrología es una pseudociencia, esta disciplina ha demostrado repetidamente sus beneficios. Al fin y al cabo, no es de extrañar que los científicos no vean con buenos ojos la astrología, pero esto no quita mérito a la práctica, que nunca ha pretendido competir con la ciencia. No tiene ninguna ambición ni razón para competir con la física o la química, sino que trata de aventurarse más de lo habitual para encontrar respuestas que la ciencia no está preparada para dar.

A lo largo de los años, algunos científicos han intentado establecer bases o modelos científicos para la astrología, aunque con avances limitados. Por ejemplo, un psicólogo y estadístico francés, Michel Gauquelin, investigó algunas correlaciones astrológicas interesantes. En concreto, descubrió que, estadísticamente hablando, existen conexiones indicativas y posiciones planetarias que coinciden en las cartas natales de personas exitosas en los deportes, las artes y muchos otros ámbitos.

La búsqueda de respuestas científicas con respecto a la astrología puede o no producir resultados a largo plazo, pero la práctica sigue creciendo en popularidad independientemente del resultado de tales búsquedas. La astrología se ha hecho tan popular, que ha entrado en la vida cotidiana de millones o incluso miles de millones de personas en todo el mundo, y es precisamente ahí donde la disciplina se encuentra más a gusto. La práctica ha florecido hasta convertirse en lo que siempre se ha esforzado por ser. Es una herramienta que gusta a personas normales y distinguidas que la usan para encontrarse a sí mismas y su propósito en este universo, al tiempo que aprenden a ser mejores personas.

A fin de cuentas, ¡eso es la astrología! Es una guía que proporciona perspectivas que no se pueden obtener en ningún otro lugar, que no pueden hacer daño y que ofrecen oportunidades para hacer cambios positivos y salir adelante. Como mínimo, se trata de empatizar más consigo mismos y con los demás a través del aprendizaje y la comprensión.

Aunque no es un estudio exacto, la astrología se define en términos prácticos como un campo de estudio que se centra en una conexión sutil y causal entre lo que ocurre con los cuerpos celestes que están sobre nosotros y los acontecimientos que suceden en nuestro planeta. Quienes se dedican a este campo y practican sus métodos se conocen como astrólogos. La astrología práctica suele centrarse en áreas que interesan a la mayoría de la gente, como la carrera profesional, la salud en sentido amplio, las relaciones, la suerte o el destino y otros ámbitos similares de la vida humana.

Los horóscopos semanales y mensuales son las manifestaciones más comunes de la astrología en la vida cotidiana, pero la astrología va infinitamente más allá de la sección de entretenimiento de una revista diaria o semanal. Como descubrirá en este libro, la astrología es una práctica compleja con muchas capas y mucho que desentrañar en el aspecto teórico. Por ello, los astrólogos profesionales son expertos dedicados, versados e informados que utilizan amplios conocimientos teóricos para leer los acontecimientos celestes que suceden a nuestro alrededor y sus implicaciones en nuestras vidas.

Uno de los asuntos más importantes de la astrología práctica es la posición del sol, la luna y los planetas del sistema solar en el momento del nacimiento. Como aprenderá en este libro, la colocación de estos cuerpos celestes en el cielo es un tema clave y es la fuente de la mayoría de las predicciones y análisis de los astrólogos. Además, el movimiento de esos cuerpos es otro factor clave que interviene en el destino astrológico, especialmente en las predicciones. Para todo ello, la astrología práctica se centra en dos áreas principales: el análisis de la personalidad y las predicciones sobre el futuro.

La astrología práctica estudia los rasgos inherentes y las energías de los planetas que componen nuestro sistema solar, además de la luna y el sol. La astrología más avanzada también tiene en cuenta otros cuerpos celestes que se encuentran vagando por nuestro sistema. A lo largo de los capítulos siguientes, se examinarán más detenidamente las características de todos estos objetos y cómo interactúan con nosotros. Por supuesto, otra de las principales áreas de interés son los doce signos del zodiaco que todos conocemos. Estos signos tienen rasgos y características inherentes que los hacen únicos y hacen que interactúen con los planetas de maneras determinadas. Más allá de los signos y los planetas, la astrología práctica estudia muchos otros factores, como los aspectos planetarios, las progresiones, las casas astrológicas y mucho más. Estos son los fundamentos que todo aspirante a astrólogo debe comprender antes de realizar sus propias lecturas astrológicas con competencia.

La frase «Como es arriba, es abajo» es quizás el mejor resumen de la astrología. Esta frase ha existido durante siglos, o incluso milenios, y se ha asociado con la religión y otros aspectos de la experiencia humana. En astrología, es una descripción literal, palabra por palabra. «Como el universo, así es el alma» suele seguir a la primera frase, comunicando el mensaje de la astrología de que nuestras vidas, experiencias, potencial, propósito, amor, dolor y alma son constantemente influidos por algo mucho mayor, algo que ocurre por encima de nosotros mientras dormimos, caminamos y hablamos y que continuará por toda la eternidad, mucho después de que nos hayamos ido.

Capítulo 2: Los planetas

Sistema solar
https://pixabay.com/images/id-3880590/

Puesto que la esencia misma de la astrología es descubrir cómo los cuerpos celestes y sus propiedades influyen en la vida, el paso inicial para dominar la astrología práctica es aprender sobre los planetas, en particular sobre su energía. Aunque los nueve planetas, la luna y el sol de nuestro sistema solar son generalmente las influencias más fuertes, hay otros cuerpos celestes que se deben tener en cuenta, como aprenderá más adelante en el libro. Por ahora, nos centramos en los nueve planetas de nuestro sistema solar, así como en el sol y la luna, clasificados como planetas en la astrología y conocidos como «luminarias», porque son los objetos más brillantes del cielo.

Sol

- **Color:** Dorado.
- **Piedras:** Ojo de tigre, citrino, cornalina, rubí.
- **Palabras clave:** Ego, personalidad, vitalidad, conciencia.

Al igual que los signos del zodiaco, todos los planetas tienen sus glifos individuales, que son símbolos que los representan a ellos y a sus características de forma breve, concisa y visual. El glifo del sol es un círculo con un punto en el centro, que representa la vida y el papel central del sol en todo lo que tiene que ver con ella, tanto en el ámbito personal como en el general.

Los astrólogos suelen referirse al sol como la luminaria de la vida, el yo o el ego. Al igual que otros planetas, el sol está asociado con palabras clave que describen mejor lo que simboliza, como personalidad, conciencia, vitalidad, confianza y creatividad. El sol también se caracteriza por tener una energía claramente masculina y a menudo regir las influencias masculinas de la vida. El sol tarda aproximadamente un mes en transitar entre los signos zodiacales y doce meses en recorrer todo el zodiaco.

El sol está en auge cuando está en Aries, en caída cuando está en Libra y en detrimento en Acuario. Como todos los demás planetas y cuerpos celestes importantes, el sol ha tenido muchas asociaciones divinas en diferentes culturas a lo largo de la historia. Se ha asociado con el dios solar romano Sol Invictus, con los griegos Apolo y Helios y con el babilónico Shamash. La energía solar es la esencia del ser humano y determina quiénes somos y cómo lo expresamos al mundo. Su inmenso poder es evidente en la mayoría de los leo, que es el signo que rige.

Luna

- **Color:** Plateado.
- **Piedras:** Piedra lunar, celestita, amatista.
- **Palabras clave:** Subconsciente, instinto, hábitos, emociones, estado de ánimo.

La luna está representada por una media luna, un glifo que se explica por sí mismo. Sin embargo, también tiene algunos significados más sutiles, ya que representa el lado emocional, la evolución y la naturaleza oculta de las cosas. Así, los astrólogos suelen referirse a la luna como la luminaria de las emociones, asociándola con los instintos, los hábitos, el subconsciente, los recuerdos, la intuición, el estado de ánimo y otras características sutiles que hacen que seamos quienes somos.

La luna pasa rápidamente de un signo zodiacal a otro, en solo dos o tres días. Además, la luminaria de las emociones está exaltada en Tauro, en detrimento en Capricornio y en caída en Escorpio. Tradicionalmente, se la ha asociado con deidades romanas como Luna y Diana, las griegas Selene y Artemisa y la babilónica Sin, entre otras. En pocas palabras, la luna tiene que ver con el mundo interior y ejerce una enorme influencia sobre el estado de ánimo de toda la humanidad. En muchos sentidos, la naturaleza sutil y serena de la energía lunar es lo contrario al sol. Mientras que el sol rige la expresión y las relaciones con el mundo exterior, la luna es una fuerza que guía la autorreflexión y el autodescubrimiento. Esta luminaria rige Cáncer, un signo que presenta muchos de los rasgos de la luna.

Mercurio

- **Color:** Naranja.
- **Piedras:** Fluorita, ónix, aguamarina.
- **Palabras clave**: Comunicación, razón, inteligencia, lenguaje, mente.

El glifo de Mercurio, también llamado caduceo de Mercurio, consiste en un círculo central con una cruz colgando de la parte inferior y un semicírculo que sobresale de la parte superior, representando dos cuernos. La cruz se añadió en el siglo XVI y algunos astrólogos la interpretan como una representación del verdadero yo interior que anhela expresarse y manifestarse. Los cuernos en la parte superior del glifo hacen que el símbolo destaque, significando una inclinación hacia algo superior, particularmente en términos de comprensión e intelecto.

Mercurio tarda de tres a cuatro semanas en pasar de un signo a otro y retrogradó cuatro veces en 2022; cada ciclo retrógrado dura algunas semanas. Los retrógrados se produjeron entre el 14 de enero y el 3 de febrero, el 10 de mayo y el 3 de junio, el 10 de septiembre y el 2 de octubre, y del 29 de diciembre al 18 de enero de 2023.

Este planeta se ha asociado tradicionalmente con el dios griego Hermes, protector de viajeros, comerciantes y oradores. Del mismo modo, los babilonios adoraban a Mercurio como Nabu, que representaba al dios de la alfabetización y la sabiduría, a la vez que era protector de los escribas. Mercurio está en detrimento en Sagitario, exaltado en Virgo y en caída cuando está en Piscis. Los romanos consideraban a Mercurio el mensajero de los dioses, lo que ilustra aún más la fuerte asociación del planeta con la comunicación. La energía de este planeta es intelectual y curiosa, influye en la curiosidad, la razón y el análisis. Mercurio es uno de los motores del deseo de expresarse por cualquier medio.

Venus

- **Color:** Rosado.
- **Piedras:** Ópalo, jade, cuarzo rosa.
- **Palabras clave:** Armonía, arte, relaciones, belleza, amor.

Venus es representada por un glifo que es esencialmente igual al de Mercurio sin el semicírculo ni los cuernos en la parte superior. Es el mismo símbolo utilizado para representar el género femenino y la feminidad en general. Esto está relacionado con lo que representa el planeta y sus equivalentes divinos, como la diosa romana Venus. Venus es un símbolo común de las energías femeninas, pero en un sentido más estricto en astrología, representa el romance, el amor, la belleza, la sexualidad y otras cualidades similares. Venus también se asocia con la deidad griega Afrodita, venerada como diosa de la fertilidad, la belleza, la pasión y otros conceptos similares a los de Venus. La diosa Inanna era el antiguo equivalente mesopotámico de estas deidades, también asociadas con Venus.

La transición de Venus entre signos zodiacales dura entre cuatro y cinco semanas y el planeta tuvo un retrógrado en 2022, que sucedió entre el 19 de diciembre de 2021 y el 29 de enero de 2022. Además, Venus se encuentra exaltado en Piscis, en detrimento en Aries y Escorpio, y decaído en Virgo. La energía astrológica de Venus y su influencia tienen que ver con la belleza, y este planeta es generalmente considerado una de las influencias más deseables en nuestros cielos. Venus tiende a tener una enorme influencia y a regir aspectos de la vida como el romance, las relaciones y la atracción. La influencia amorosa y embellecedora de Venus es lo que trae armonía y alegría a la vida, a la vez que refuerza el impulso creativo.

Marte

- **Color:** Rojo.
- **Piedras:** Piedra de sangre, granate, jaspe rojo, cornalina, hematita.
- **Palabras clave:** Pasión, coraje, agresión, deseo, competitividad.

El glifo que representa a Marte es un círculo con una flecha que sobresale y apunta hacia la parte superior derecha, el mismo signo utilizado para simbolizar el género masculino. Esto no es casual, ya que muchos de los rasgos de Marte están asociados con la energía masculina. En la antigua Roma, Marte era adorado como el dios de la guerra y estaba asociado con temas similares en la antigua Grecia, como el dios Ares. En la antigua Mesopotamia, Marte simbolizaba a Nergal, que también estaba relacionado con la guerra, la muerte y otros temas similares.

Marte tarda entre seis y siete semanas en pasar de un signo zodiacal a otro y atravesó un ciclo retrógrado en 2022, que comenzó el 30 de octubre y terminó el 12 de enero de 2023. Marte está exaltado en Capricornio, en detrimento cuando está en Tauro o Libra, y decayendo en Cáncer. Dada la naturaleza testaruda, agresiva y altamente dinámica de Marte y su energía, esto no es sorprendente. La energía agresiva de Marte es ruidosa y claramente visible para todos, por lo que a menudo es considerado el guerrero de los planetas. Este planeta rige todas las influencias ardientes que impulsan a los individuos agresivos y audaces, lo que se refleja en los signos regidos por Marte: Aries y Escorpio. La energía de Marte también es física y la posición del planeta en el momento del nacimiento influye en muchos aspectos físicos de la vida, como la vitalidad y el atletismo.

Júpiter

- **Color:** Verde.
- **Piedras:** Lapislázuli, amatista, topacio, turquesa.
- **Palabras clave:** Crecimiento, expansión, suerte, entendimiento, abundancia.

El glifo de Júpiter es un semicírculo o media luna con una cruz lateral en el lado derecho. Todo el símbolo se asemeja a un número cuatro escrito a mano y algo deformado. Los astrólogos interpretan el glifo como algo relacionado con el aprendizaje, la comprensión profunda y la evolución que conlleva ese crecimiento. Al igual que la cruz sostiene el semicírculo, Júpiter sostiene, enseña y guía a otros dioses.

Tradicionalmente, Júpiter era un ayudante de otros dioses en la guerra y en otras misiones. En el hinduismo, por ejemplo, Júpiter se ha asociado con Guru («maestro»), también conocido como Brihaspati («señor de la oración»), que es una antigua figura divina vista como una especie de consejero de los dioses. Júpiter también ha desempeñado un papel central en los panteones de otras culturas antiguas. En Grecia, se asociaba con Zeus, el rey de los dioses del Olimpo. Júpiter, también conocido como Jove, desempeñaba un papel muy similar en la antigua Roma.

Júpiter tarda un tiempo considerable en realizar la transición entre signos, normalmente más de un año. También atravesó un ciclo retrógrado en 2022, entre el 28 de julio y el 23 de noviembre. Este planeta está en detrimento cuando está en Géminis o Virgo, exaltado en Cáncer y en caída en Capricornio. La energía y la influencia de Júpiter son tan masivas como el tamaño físico de este gigante gaseoso. Rige muchos aspectos importantes de la vida humana como la suerte, la abundancia, la sabiduría y la espiritualidad en general. Los astrólogos también consideran que la energía de Júpiter es expansiva, por lo que es la fuerza que impulsa al ser humano a crecer y ampliar sus horizontes. Sagitario lo ejemplifica especialmente.

Saturno

- **Color:** Gris.
- **Piedras:** Ónix, azabache, hematita, ojo de tigre.
- **Palabras clave:** Estructura, límites, disciplina, responsabilidad, ambición, ley, orden.

Saturno es simbolizado por un glifo que consiste en una curva en forma de oreja con una cruz en la parte superior izquierda. Algunos astrólogos sugieren que representa una especie de equilibrio entre la comprensión de la vida y la aceptación de algunos de los hechos más duros de la existencia, como la muerte, el envejecimiento y la decadencia. También es posible que la curva represente una hoz, lo que corresponde con las antiguas asociaciones de Saturno con la agricultura. En Grecia, por ejemplo, a Saturno se le conocía como Cronos, el primero de los titanes, conocido por comerse a sus hijos debido a la profecía de que uno de ellos le derrocaría, como él había hecho con su padre. Cronos era representado a menudo blandiendo una hoz. Como con muchas otras deidades y mitos, la asociación se trasladó a la antigua Roma, donde se adoraba a Saturno como dios del tiempo, la generación, la disolución, la riqueza y otros conceptos, además de la agricultura.

Saturno tarda más en realizar la transición entre signos, ya que está más lejos del sol que cualquiera de los planetas mencionados anteriormente. La transición dura entre dos y tres años. Saturno también experimentó un retrógrado entre el 4 de junio y el 23 de octubre de 2022. Este planeta se exalta cuando está en Libra, está en detrimento cuando está en Cáncer o Leo y en caída cuando entra en Aries. Aparte de las asociaciones mencionadas anteriormente, Saturno también está relacionado con los límites y las reglas, fomentando un sentido de la disciplina. La energía de este planeta no es tan cálida y nutritiva como la de otros, pero su influencia es muy necesaria para el ser humano como especie. En la antigua Roma, se creía que Saturno era la fuente de la civilización por su capacidad para poner orden.

Urano

- **Color:** Azul-verde.
- **Piedras:** Aventurina.
- **Palabras clave:** Excéntrico, modificable, impredecible, rebelde.

Al igual que Neptuno y Plutón, Urano fue descubierto hace relativamente poco tiempo, por lo que sus símbolos se idearon por primera vez en el siglo XVIII. Generalmente se utilizan dos glifos, el primero es una combinación de los símbolos alquímicos del hierro y el oro, que representa el platino. Es esencialmente el símbolo masculino con un punto en el centro y la flecha apuntando hacia arriba. El segundo glifo, más utilizado en astrología, es el monograma de Herschel, llamado así por el astrónomo que descubrió el planeta. Consiste en una forma muy similar a la letra «H» mayúscula y una línea vertical que atraviesa el centro con un pequeño círculo adosado en la parte inferior.

Urano lleva el mismo nombre que la deidad griega que se consideraba el padre de los titanes. Uno de ellos es Saturno, esposo de Gea y dios del cielo. Este lejano planeta tarda siete años en cambiar de signo zodiacal, y en 2022 experimentó dos retrogradaciones. El primer retrógrado comenzó el 19 de agosto de 2021 y terminó el 18 de enero de 2022, mientras que el segundo comenzó el 24 de agosto y terminó el 23 de enero de 2023. Urano está exaltado en Escorpio, en detrimento en Leo y en caída en Tauro. La energía de Urano es una fuerza rebelde, pero también impulsa la innovación, el progreso y el cambio en general. Al ser el primer planeta descubierto con un telescopio, Urano es una especie de pionero entre los planetas.

Neptuno

- **Color:** Azul.
- **Piedras:** Sodalita.
- **Palabras clave:** Intuición, imaginación, misticismo, sueños.

Al llevar el nombre del dios romano de los mares, Neptuno, equivalente del Poseidón griego, el glifo de este planeta es un símbolo bastante claro. Es el tridente de Neptuno, un glifo muy conocido que se asemeja a una forma de tenedor con tres puntas. Neptuno se ha asociado con el agua, en general, en diferentes culturas, más allá del gobierno de los mares. Por ejemplo, en la mitología india y las tradiciones hindúes, el equivalente de Neptuno es Varuna, el dios de la lluvia, el cielo, la justicia, la verdad y muchas otras cosas.

Neptuno tarda hasta doce años en realizar la transición entre signos debido a su gran distancia del Sol. Además, en el 2022 tuvo un retrógrado, que se verificó entre el 28 de junio y el 4 de diciembre. Este planeta está exaltado en Leo, en detrimento en Virgo y en caída en Capricornio. Principalmente, la energía de Neptuno es de misterio e incertidumbre. Las asociaciones de este planeta tienen mucho que ver con las cosas que surgen de lo más profundo de nuestro ser, incluidos los sueños. Su energía también es responsable de las ilusiones, la confusión y todo lo que resulta difícil de comprender. Al mismo tiempo, Neptuno puede inspirar y reforzar la imaginación, de modo que los esfuerzos creativos resultan más fructíferos. Dependiendo de su posición en el momento del nacimiento, Neptuno influye en las personas para que se conviertan en grandes artistas. Sin embargo, su naturaleza confusa e ilusoria también puede hacer que el individuo sea propenso al escapismo y a la incertidumbre.

Plutón

- **Color:** Rojo oscuro.
- **Piedras:** Jaspe rojo.
- **Palabras clave:** Evolución, muerte, poder, transformación.

Los astrónomos, astrólogos y otros observadores han utilizado muchos glifos para representar este planeta. Uno de los más comunes consiste en un bidente que descansa sobre una base en forma de cruz, con un pequeño círculo conocido como el orbe de Plutón entre las dos puntas de la parte superior. El bidente simboliza el bidente de Hades, el dios griego del inframundo, más tarde rebautizado como Plutón. Este glifo es el que se utiliza habitualmente en astrología. Sin embargo, otro símbolo común que representa a este planeta enano es un simple monograma formado por las letras «P» y «L», que representan las iniciales de Percival Lowell, el descubridor del planeta.

Plutón es el planeta enano más lejano de nuestro sistema solar, y tarda entre doce y quince años en cambiar de signo zodiacal. El planeta enano también atravesó un ciclo retrógrado entre el 29 de abril y el 8 de octubre de 2022. Plutón está exaltado en el signo de Aries, en caída en Leo, y en detrimento cuando está en Tauro. Aunque se asocia con el dios de la muerte y el inframundo, Plutón es el planeta del renacimiento y la transformación. La energía de Plutón es una fuerza regeneradora para las personas y el mundo. Al igual que otros planetas de transición lenta, Plutón es una influencia que se manifiesta lentamente a través de las generaciones más que de forma inmediata en la vida de un individuo. Como tal, es una influencia sutil, pero su energía conduce a grandes transformaciones a largo plazo.

Capítulo 3: Saber más con nodos y asteroides

Después de familiarizarse con la información básica sobre los planetas en la breve introducción del capítulo anterior, es hora de explorar otros aspectos más profundos de la astrología. Los nodos y los asteroides, por ejemplo, son factores adicionales que desempeñan un papel importante en las lecturas astrológicas más sofisticadas y precisas, sobre todo a la hora de confeccionar la carta astral, a la que nos referiremos más adelante. La astrología práctica consiste en obtener toda la información posible sobre las circunstancias astrológicas del nacimiento y la vida de una persona y esto incluye conceptos que a menudo se pasan por alto, como los nodos y los asteroides.

Nodos

Mientras que el signo del zodiaco o las casas astrológicas dan una idea de la personalidad de alguien y le ayudan a aprender cosas sobre sí mismo, los nodos lunares tienen un propósito diferente. En los términos más sencillos, el propósito de analizar los nodos lunares es obtener una visión del futuro. Más concretamente, los nodos ayudan a descubrir el propósito en la vida de alguien y los objetivos a largo plazo en los que debe centrarse. Como todo en astrología, estos nodos no son una ciencia exacta. No predicen el futuro como una bola de cristal, pero analizarlos puede dar ideas y pistas útiles para sacar conclusiones.

Los nodos lunares suelen analizarse como parte de la lectura de la carta natal, en la que el lector analiza, entre otras cosas, el movimiento y el eje de la eclíptica en el momento del nacimiento. Los nodos lunares incluyen el nodo norte y el nodo sur, cada uno asociado con ciertos aspectos del futuro y del pasado. Tienen que ver con el camino que se recorre en la vida, centrándose no solo en las experiencias y decisiones que se toman, sino también en cosas como el aprendizaje y el crecimiento en el sentido más amplio. Por este motivo, los nodos también se denominan nodos del destino.

Al observar una carta astral típica, se dará cuenta de que los nodos norte y sur están en lados opuestos. Lo primero que se debe tener en cuenta es que estos nodos no son cuerpos celestes como planetas o estrellas. Son puntos determinados matemáticamente y, en una carta astral, se ubican en dos signos zodiacales opuestos. Estos puntos matemáticos dependen de la relación entre el sol, la luna y la Tierra en el momento del nacimiento. La parte matemática del cálculo de la posición de los nodos puede resultar un poco complicada. Aun así, los generadores de cartas natales y los astrólogos expertos los determinan basándose en la información relativa al nacimiento. Basta con decir que los nodos de una carta astral se encuentran en el punto en el que confluyen la trayectoria mensual de la luna y la trayectoria anual del sol a través del zodíaco. En general, las personas recurren a sus nodos lunares cuando se sienten atormentadas por preguntas relativas a lo que deben hacer en la vida o a su propósito, tanto específico como amplio. Sin embargo, los nodos también pueden dar una idea de cómo hemos llegado a donde estamos mirando al pasado, quizá incluso más allá de esta vida.

En términos sencillos, el nodo sur habla de dónde venimos, mientras que el nodo norte trata de adónde vamos, sobre todo en esta vida. Aunque están separados, los dos nodos lunares están estrechamente relacionados, por lo que leer uno sin el otro es inútil. Se alimentan y dependen el uno del otro, del mismo modo que el futuro a menudo está conectado con el pasado, al menos porque el pasado debe superarse para seguir adelante.

Puesto que el nodo sur se refiere a las cosas que se traen a esta vida desde el principio, se asocia con regalos y equipaje, ya sea emocional, kármico o de cualquier otro tipo. Por otro lado, el nodo norte representa las oportunidades para superar ese bagaje y crecer fuera de las limitaciones, alterar el camino en la vida y mejorar. A veces, los nodos también se denominan Cola de dragón (nodo sur) y Cabeza de dragón (nodo norte).

Muchos astrólogos se refieren al nodo norte como el «destino kármico» del individuo en la vida actual. Representa el objetivo final hacia el que alguien se dirige, que en última instancia depende de las lecciones de vidas pasadas. Como tal, el nodo norte no trata de analizar su carácter y personalidad, sino que se centra por completo en predecir los resultados futuros. Muchos astrólogos ven el nodo norte como algo naturalmente difícil de tratar, por lo que a menudo la gente no aborda su verdadero significado hasta pasados los treinta. Cuando se trata del futuro, el nodo norte también se asocia a menudo con lo desconocido, lo que naturalmente produce inquietud y ansiedad en las personas.

La mejor forma de abordar las implicaciones de su nodo norte es incorporar las cualidades de su signo en la carta. Puesto que el nodo sur concierne a todas aquellas cosas que usted ya es, naturalmente es un lugar más cómodo. No es casualidad que los nodos caigan en lados opuestos de la carta, ya que hay un gran salto entre ellos. El nodo norte conlleva muchas cualidades que parecen extrañas a primera vista, pero esas son las cosas en las que tiene que centrarse para mejorar usted y su vida. En la práctica, se trata de analizar el signo y la casa del nodo norte para averiguar qué aspectos de su vida y de su personalidad necesita trabajar.

Esos aspectos son los asuntos que prefiere evitar y de los que prefiere escapar, en lugar de enfrentarse a ellos. Son áreas en las que sabe que debe mejorar, pero aún no ha reunido la fuerza para hacerlo. Y como muchas personas ni siquiera saben qué es exactamente lo que necesitan cambiar, esto es precisamente lo que el nodo norte puede revelar. Abrazar el nodo norte y prestar atención a su guía es el primer paso para controlar su destino y alcanzar el sentido de propósito que surge de la comprensión de sus nodos.

Como puede ver, el nodo sur es lo opuesto al nodo norte en muchos sentidos. Este nodo es su base, representa todo lo que ya sabe y domina. Es su zona de confort, un territorio familiar y un lugar al que recurrir cuando las cosas se ponen difíciles. Esto no quiere decir que sea menos importante, pero el objetivo es construir sobre esta base para convertirse en la persona que quiere ser. Tener el nodo sur como punto de apoyo es bueno, siempre y cuando no se convierta en evasión y pasividad.

En lo que respecta a la luna, otro tema digno de mención es la llamada Luna negra Lilith. Este concepto suele ser analizado por astrólogos más avanzados que el promedio con la esperanza de revelar algunos aspectos adicionales de las personas y la vida. Lilith se refiere principalmente a las cosas que yacen ocultas, como los oscuros deseos sexuales y otros aspectos ocultos del ser. En términos más sencillos, la Luna negra de Lilith representa el punto más distante de la órbita lunar alrededor de la Tierra. Las asociaciones primarias de Lilith incluyen impulsos primitivos, instintos, deseos y pensamientos reprimidos, el subconsciente y el verdadero yo oculto en su forma más cruda. Algunos astrólogos se refieren a esto como nuestro «yo en la sombra».

Asteroides

Como ya se ha mencionado brevemente, las influencias astrológicas no solo proceden de los planetas y las constelaciones. Los asteroides desempeñan un papel importante, pero a menudo ignorado, en el destino astrológico. Por lo tanto, es necesario tener al menos una comprensión básica de lo que son en un sentido astrológico, a cuáles se debe prestar atención y qué representan exactamente. Algunos cometas y meteoritos también desempeñan un papel importante. Al analizar todos estos factores, las lecturas astrológicas ofrecen mucha más información que el típico análisis superficial del horóscopo diario. Incluso con astrólogos expertos, a veces los planetas principales no dicen lo suficiente para responder algunas de las preguntas más complicadas de cada historia específica y única. Por eso es importante tener en cuenta todas las capas adicionales que aportan los asteroides, los cometas y otros fenómenos celestes.

Al igual que la astrología clasifica al sol y la luna como «planetas», la clasificación de «asteroides» incluye esos dos grupos de cuerpos celestes que acabamos de mencionar. Hay unos cuantos asteroides en los que fijarse, dependiendo de qué tanto se quiera profundizar en la lectura. Algunos asteroides son más influyentes y venerados que otros, por lo que es bueno saber en cuáles centrarse si tiene prisa por leer una carta lo más rápido posible. Algunos de los asteroides más comunes son:

- Ceres.
- Quirón.
- Palas.

- Juno.
- Vesta.
- Eros.
- Safo.
- Psique.
- Eris.
- Folo.
- Sedna.
- Chariclo.
- Haumea.
- Makemake.
- Hygeia.

Ceres es un asteroide, o más exactamente un planeta enano, que irradia una energía amorosa y nutritiva parecida a la fuerza de la maternidad. Es un indicador valioso en las lecturas de cartas astrales porque revela cosas sobre las partes tiernas de la propia naturaleza y enseña cómo ser más cariñosos y afectuosos con quienes nos rodean, al tiempo que ayuda a entender lo que se necesita en la vida para ser correspondido. Ceres debe su nombre a la diosa romana de la agricultura y está estrechamente relacionado con la tierra, el sustento y la nutrición. Ceres también se asocia con los ciclos naturales de la vida, incluidos el nacimiento y la muerte.

Quirón, también conocido como el sanador de heridas, hace hincapié en la curación y la superación de los traumas y el dolor que persiguen a alguien a lo largo de la vida. El nombre Quirón procede de la mitología griega, en concreto del centauro Quirón. Este ser, mitad hombre y mitad caballo, era un sanador, pero sufrió una herida que no pudo curar y tuvo que sufrir inmensamente hasta que le llegó el descanso entre las estrellas. El destino de Quirón es un poderoso símbolo de lo que significa este asteroide. Representa el punto más débil y el dolor que se puede estar cargando, que es único para cada individuo. El poder de Quirón reside en mostrar cómo superar esa dolorosa herida y enseñar a los demás a superar las suyas.

Palas tiene una energía similar a la de Marte en algunos aspectos. Este asteroide y su deidad asociada también se conocen como Palas Atenea, y sus principales áreas de influencia incluyen la estrategia, la sabiduría y las búsquedas intelectuales. En la mitología griega, Palas también era hermana de Ares (Marte). Representaba una influencia más racional y contenida, asociada con la guerra, la justicia y la sabiduría en la lucha, en contraste con la naturaleza altamente agresiva de su hermano. La influencia de Palas se manifiesta en aspectos como el liderazgo, el sentido de la justicia, la resolución de conflictos y las relaciones, especialmente con las figuras de autoridad y los padres.

Según la antigua mitología griega, Juno lleva el nombre de la hermana y esposa de Zeus (Júpiter), reina del Olimpo y diosa del matrimonio. La energía de Juno es de compromiso y lealtad, pero también de venganza. En la mitología, la furia silenciosa de Juno y su afán de venganza procedían de las constantes infidelidades de Zeus. Por eso, como mínimo, la influencia astrológica de Juno tiene que ver con las relaciones, sobre todo con el matrimonio, y con cómo se enfrentan las duras realidades de la vida. La guía de Juno ayuda a sacar conclusiones sobre las relaciones matrimoniales y familiares, para bien o para mal.

Vesta, planeta enano, es el asteroide de la espiritualidad. En la antigua Roma, se asociaba con el equinoccio de primavera, el comienzo del año y las hogueras rituales que encendían los romanos para celebrar esta época. En cierto modo, Vesta también se consideraba la guardiana de estos fuegos sagrados. También era una diosa virgen, por lo que está estrechamente relacionada con la pureza y la incorruptibilidad. La energía de Vesta es también la de la autodeterminación y la propiedad de sí mismo, por lo que refuerza la influencia de la casa astrológica que ocupa o de un planeta o signo con el que interactúa.

Eros también es conocido como Cupido, el hijo de Venus en la mitología. Como distinguido seductor y dios del deseo, era conocido por su unión con la princesa Psique en un acuerdo peculiar en el que solo interactuaba con ella en completa oscuridad, sin revelarse nunca. Por ello, el asteroide Eros tiene mucho que ver con la sexualidad. Por extensión, también tiene fuertes asociaciones con la pasión y el deseo. Eros revela los deseos interiores, normalmente en relación con la sexualidad, pero no exclusivamente. A veces, también influye en deseos especialmente fuertes en otros ámbitos de la vida, relacionados con el trabajo, las relaciones y muchas otras cosas.

Psique, en la mitología griega, era una princesa mortal de inmensa belleza, como se describe en la historia de Psique y Cupido (Eros). La belleza de Psique era tan sobrecogedora que incluso hizo hervir de celos a la diosa Afrodita, por lo que envió a su hijo Cupido a envenenarla. Sin embargo, ante su belleza, Eros se enamoró y así comenzó su relación. Si Eros representa los deseos y preferencias en materia de sexualidad, Psique hace lo propio en lo que respecta a la satisfacción emocional y los vínculos afectivos. Psique influye en la elección de con quién está dispuesto a comprometerse y tiene influencia en las relaciones románticas.

Safo lleva el nombre de una antigua poetisa griega que vivió y escribió en la isla griega de Lesbos. Gran parte de su poesía tenía que ver con el erotismo, sobre todo en las relaciones entre personas del mismo sexo. La energía de este asteroide es de armonía, cercanía y cuidado entre los amantes. También se asocia con la solidaridad y la pertenencia y a menudo guía para encontrar un lugar de afirmación, comprensión y pertenencia. La energía de Safo afecta a las relaciones profesionales e íntimas, por lo que su posición en la carta astral arroja luz sobre muchas cosas importantes de la vida.

Eris es un planeta enano y, además de un asteroide en astrología, es una especie de homólogo de Eros. Llamado así por la diosa griega de la discordia, Eris, que era igual a la romana Discordia, irradia una poderosa energía femenina que conlleva agresividad e ira, aunque con razón. Es una de las fuerzas astrológicas que dan el combustible para rebelarse. Eris arroja luz sobre dónde y por qué siente la necesidad de levantarse para protestar y rebelarse, lo que puede ser muy pronunciado en algunos de los signos más rebeldes del zodíaco, como el agresivo y testarudo Aries.

Folo lleva el nombre de un centauro, como Quirón. En la mitología griega, ambos eran criaturas inusualmente gentiles en comparación con otros de su especie. En los mitos, Folo solía pasar sus días cuidando viñedos y vivía en una cueva, hasta que fue envenenado por un ataque con una flecha, lo que finalmente le causó la muerte. Por eso, gran parte de la energía de Folo es sacrificial, denotando la voluntad de ayudar a los demás incluso con un costo personal alto. Folo también se asocia con el vino, los venenos y la intoxicación, seguidos de una pérdida de control. Este asteroide revela maneras de ayudar a los demás a curar sus heridas, aunque sea involuntariamente. Debido a su órbita particularmente larga, de unos 92 años, la influencia de Folo es sobre todo transgeneracional.

Sedna es un asteroide con una órbita increíblemente amplia alrededor del Sol. Tanto, que los astrónomos apenas se han percatado de su existencia. Su órbita se extiende mucho más allá de nuestro sistema solar y su periodo orbital dura miles de años. Uno de los poderes de Sedna es mostrar las cosas buenas de la vida, en las que podemos centrarnos para sentirnos mejor con nuestros defectos y fracasos. Este asteroide está fuertemente asociado con las bendiciones y motiva a aprovechar al máximo cada regalo en lugar de excusarnos y caer en la desesperación.

En la mitología, Chariklo está estrechamente relacionado con el centauro Quirón. Era una ninfa que se casó con él y era hija de Apolo. También fue la mentora de algunos de los héroes más legendarios de la mitología griega, como el poderoso Aquiles. Chariklo también era vista como una esposa fiel y devota, por lo que algunas de las asociaciones más fuertes de este asteroide incluyen el cuidado y el apoyo. Se asocia generalmente con el espacio personal, la curación y el despertar.

Haumea es un planeta enano identificado en 2004 que recibe su nombre de la diosa hawaiana del parto y la fertilidad. En la mitología hawaiana, se decía que había dado a luz a muchos niños, fabricándolos con partes de su cuerpo. También se dice que adoptó muchas formas físicas y renació muchas veces. Haumea infunde amor por el mundo natural, lo que ayuda a sentirse en conexión con la naturaleza. Este asteroide también muestra cómo superar la adversidad y los obstáculos que la vida pone en el camino.

Makemake es otro planeta enano descubierto en 2005, justo un año después que Haumea. El origen del nombre de este asteroide es bastante exótico, ya que proviene del dios creador adorado por los habitantes de la Isla de Pascua. Algunos de los temas de este asteroide son similares a los de Haumea, incluido el amor por la naturaleza. Esta energía ayuda a ver la belleza en todas las cosas y recuerda que la naturaleza es algo que se debe cuidar. En su carta, Makemake es una influencia que le ayuda a manifestar sus deseos en el mundo real.

Hygeia es el asteroide del bienestar, como se le suele llamar. En los mitos griegos y romanos, era la hija de Asclepio, el dios de la medicina. Al igual que el símbolo de su padre, una serpiente sobre un bastón que perdura y que a menudo se utiliza en medicina hoy en día, el nombre de Hygeia también perdura a través de la palabra «higiene», que deriva de ella. Hygeia era también una de las cinco hermanas que simbolizaban distintos aspectos de la salud humana y su especialidad era la prevención. Este asteroide muestra cómo cuidarse correctamente para mantener la buena salud mental y física.

Capítulo 4: Los doce signos del zodiaco

Círculo del zodiaco
https://pixabay.com/images/id-5921179/

Conocer los signos del zodiaco y sus propiedades es otro paso importante para dominar la astrología. Además de proporcionarle una mejor comprensión de otras personas y de cómo relacionarse con ellas, entender los doce signos es importante para sus lecturas personales. Esto se debe a que cada individuo tiene tres signos: el signo solar, el lunar y el ascendente.

La gente suele fijarse en el signo solar para lecturas astrológicas simples y no muy profundas, pero conocer los tres signos es muy importante para una visión más profunda. Recuerde que su signo lunar es el signo zodiacal en el que se encontraba la luna en el momento de su nacimiento, que normalmente es diferente del signo solar. Por otro lado, el signo ascendente es el signo que estaba en el horizonte en ese mismo momento. Conocer los tres signos es necesario para cosas como la lectura de la carta astral, pero se hablará de ello más adelante. Por ahora, se repasarán brevemente los doce signos del zodíaco y lo que los hace especiales.

Aries

- **Fecha:** Marzo 21 - abril 19.
- **Palabras clave:** Coraje, confianza, voluntad, iniciación, primero, vitalidad, conquista, cazador.
- **Mantra:** «Yo soy».
- **Planeta regente:** Marte.
- **Color:** Rojo.
- **Metal:** Hierro.
- **Piedra natal:** Diamante.
- **Parte del cuerpo:** Cabeza.

Aries es simbolizado por el carnero, cuyo glifo ilustra sus cuernos. El simbolismo del carnero y sus cuernos no es casual, ya que refleja la naturaleza testaruda y conflictiva de Aries. Para quienes conocen a un Aries, no será de extrañar que el elemento del signo sea el fuego. Este elemento poderoso e intenso alimenta gran parte de la fuerza, la energía y la confianza que caracterizan a los carneros. La modalidad del signo es cardinal y es el primero de los cuatro signos cardinales. La posición de Aries como primer signo cardinal y su rango de fechas, que comienza con el inicio de la primavera, son factores importantes que definen al carnero como líder e iniciador.

La polaridad positiva del carnero es otro aspecto que ayuda a comprender mejor este signo, ya que está claramente en consonancia con la forma en la que Aries interactúa con el mundo. Al igual que otros signos positivos, Aries enfoca su energía hacia el exterior y tiende a ser un signo al que le gusta expresarse, a diferencia de los signos con polaridad negativa, que son receptivos y están más orientados hacia el interior a la hora de enfocar su energía. Recuerde que las energías de este signo, como las de cualquier otro, desempeñan un papel en su vida, aunque solo se trate de su signo lunar o ascendente. A veces, Aries es impulsivo, pero también es un líder e iniciador innatos que puede hacer cosas maravillosas por los demás y por sí mismo.

Tauro

- **Fecha:** Abril 20 – mayo 20.
- **Palabras clave:** Estabilidad, seguridad, posesiones, dinero, lealtad, terquedad, indulgencia, placer.
- **Mantra:** «Yo tengo».
- **Planeta regente:** Venus (clásico) y Ceres (moderno).
- **Color:** Verde, rosado.
- **Metal:** Cobre.
- **Piedra natal:** Esmeralda.
- **Parte del cuerpo:** Garganta.

El toro y su constelación homónima simbolizan Tauro. Este signo está representado por un glifo que consiste en un simple círculo con dos cuernos en la parte superior, que simbolizan al toro y sus rasgos característicos, como la terquedad. En cuanto a los elementos, Tauro es un signo de tierra el más pesado de los elementos en astrología, y es un poderoso símbolo de la estabilidad, paciencia, solidez y la fuerza del toro.

El toro es un signo con una modalidad fija, y es el primero de estos signos en el zodíaco. Gran parte de la estabilidad y perseverancia de que gozan los signos fijos se debe a que ocupan posiciones intermedias en relación con sus respectivas estaciones, como el posicionamiento del Toro en plena primavera. Los Tauro son conocidos por su capacidad para perseguir implacablemente sus objetivos y sus principios, independientemente de la presión exterior, y su modalidad fija desempeña un papel importante en ese rasgo. Tauro también es un signo negativo en lo que respecta a su polaridad, que es una de las razones por las que muchos taurinos son bastante introvertidos y tranquilamente fuertes. Los tauro también son conocidos por su amor al placer y a las cosas buenas de la vida, que puede llegar al hedonismo si no se controla. Los tauro también se benefician de las energías artísticas y afectivas de Venus, su planeta regente.

Géminis

- **Fecha:** Mayo 21 – junio 20.
- **Palabras clave:** Inquisitivo, curiosidad, inteligencia, ingenio, picardía, aprendizaje, comunicación.
- **Mantra:** «Yo pienso».
- **Planeta regente:** Mercurio.
- **Color:** Amarillo, verde claro.
- **Metal:** Bronce.
- **Piedra natal:** Esmeralda, ojo de tigre.
- **Parte del cuerpo:** Pulmones, brazos, manos.

Géminis, simbolizado por los Gemelos, es representado por un glifo formado por dos partes iguales unidas en perfecta simetría, que se asemeja al número dos romano. La historia de los gemelos tiene sus raíces en la mitología griega, en la historia de Pólux y Cástor, dos hermanos nacidos de Leda. Las dualidades son un tema común en la vida de muchos Géminis, y tanto el símbolo de los gemelos como el glifo del signo lo ilustran bastante bien.

Géminis es un signo del elemento aire, el más ligero, que es uno de los factores responsables de la naturaleza dinámica y extrovertida de Géminis. Son personas que viven en movimiento, siempre aprendiendo y experimentando cosas nuevas y conociendo gente nueva. Los géminis también son muy curiosos y, en ocasiones, muy traviesos. En cuanto a la modalidad, géminis es el primero de los signos mutables, lo que refuerza el temperamento altamente dinámico del signo y lo hace muy adaptable. Como es lógico, este signo extrovertido y orientado hacia el exterior tiene una polaridad positiva y se muestra todo el tiempo. El signo lunar de Géminis puede hacer que algunos de sus rasgos sean particularmente intensos, haciendo que los individuos sean demasiado extrovertidos y abiertos. Lo mismo ocurre con los ascendentes Géminis, que son propensos a la inquietud.

Cáncer

- **Fecha:** Junio 21 - julio 22.
- **Palabras clave:** Intuitivo, cariñoso, atento, sensible, protector, desinteresado.
- **Mantra:** «Yo siento».
- **Planeta regente:** La luna.
- **Color:** Blanco, violeta.
- **Metal:** Hierro.
- **Piedra natal:** Perla, rubí.
- **Parte del cuerpo:** Pecho, cerebro, estómago.

Cáncer, también conocido como el cangrejo, es un signo representado por un glifo que no corresponde exactamente con la apariencia del animal simbólico. Es un glifo simétrico que se asemeja a dos comas o nueves de forma circular. Se ha especulado sobre el significado de este símbolo. Algunos astrólogos sugieren que podría tratarse de una representación de los pechos para significar la naturaleza maternal y nutritiva de Cáncer.

El elemento de Cáncer es el agua, que infunde a este signo la fluidez suficiente para ser adaptable, al tiempo que le proporciona más peso que el aire, lo que hace que los cáncer tengan los pies en la tierra y sean más reservados que los géminis. Es el segundo de los signos cardinales, anuncia el comienzo del verano y atrae la fuerza de liderazgo e iniciativa de esta energía. La intensidad de la energía solar durante esta época también es una fuente importante de esa fuerza. Sin embargo, la polaridad de Cáncer es negativa, ya que, a pesar de la capacidad de autoridad y liderazgo de este signo, el cangrejo conserva un importante grado de introspección y tranquilidad. La naturaleza protectora, afectuosa y sacrificada del cangrejo es especialmente pronunciada en los cáncer lunares, ya que la luna es el planeta regente del signo. Estos cáncer son propensos a cuidar de los demás y a comprometerse con ellos hasta el punto de descuidarse y ser perjudiciales para sí mismos.

Leo

- **Fecha:** Julio 23 – agosto 22.
- **Palabras clave:** Orgulloso, artístico, expresivo, creativo, líder, rendimiento, randiante.
- **Mantra:** «Yo seré».
- **Planeta regente:** Sol.
- **Color:** Amarillo, naranja, dorado.
- **Metal:** Bronce.
- **Piedra natal:** Cornalina.
- **Parte del cuerpo:** Corazón.

Leo es simbolizado por el león, que resume a la perfección su naturaleza orgullosa, regia e imponente. El glifo del signo es un pequeño círculo y una línea curva adjunta, que puede parecerse a la cabeza de un león y su melena, o a una cola, según se mire. En cualquier caso, el animal símbolo del signo dice mucho sobre la naturaleza de Leo.

Si tiene un leo en su vida, ninguno de los factores astrológicos que influyen en este signo le resultará sorprendente. Por un lado, el signo está impregnado de la energía del elemento fuego, lo que proporciona a los leo el suministro inagotable de fuerza y ánimo que necesitan para mostrarse e impresionar a los demás con su brillo característico. En cuanto a la modalidad, Leo es el segundo de los signos fijos, lo que constituye otra fuente de fuerza, estabilidad y autoridad. Los leo se encuentran en pleno verano, cuando el sol está en su punto álgido de luz, calor y energía. Por supuesto, Leo es un signo positivo y vive para interactuar, atraer, impresionar y brillar dentro de cualquier grupo. La luna en Leo a menudo limita el orgullo, el ego y el carácter extrovertido del signo y puede ser el justo equilibrio que algunos de los leo más intensos necesitan.

Virgo

- **Fecha:** Agosto 23 – septiembre 22.
- **Palabras clave:** Orden, sistemático, analítico, práctico, discernimiento, crítica, precisión.
- **Mantra:** «Yo analizo».

- **Planeta regente:** Mercurio (clásico) y Quirón (moderno).
- **Color:** Beige, plateado.
- **Metal:** Bronce.
- **Piedra natal:** Peridoto.
- **Parte del cuerpo:** Tracto digestivo.

Virgo, también conocido como la doncella, tiene uno de los glifos más intrincados del zodiaco, que comunica varios significados al espectador. Por un lado, se asemeja claramente a una letra «M» en cursiva, pero el intrincado diseño del glifo, con numerosas líneas, también apunta al hecho de que este signo está relacionado con el intestino y el sistema digestivo. Los extremos de las líneas del glifo, que se curvan hacia dentro, también simbolizan la naturaleza introspectiva y analítica del signo.

La modalidad de Virgo es mutable, lo que lo convierte en el segundo signo de este tipo y le confiere un aura de adaptabilidad y una capacidad para manejar muy bien los cambios. El debilitamiento gradual del sol en la etapa final del verano, que ocupa Virgo, también es una influencia significativa que hace a los Virgo más comedidos y reservados. Virgo es un signo muy equilibrado, porque su modalidad mutable se ve contrarrestada por su elemento tierra, lo que hace que los virgo tengan los pies en la tierra y sean sólidos. Este signo también es de polaridad negativa, otro factor responsable de la naturaleza exigente, analítica y crítica de Virgo. Los virgo son famosos por su capacidad de organización y tienden a ser muy ordenados. Se trata de virtudes excelentes, siempre y cuando no se obsesionen con los pequeños detalles y no pierdan de vista conceptos más amplios.

Libra

- **Fecha:** Septiembre 23 - octubre 22.
- **Palabras clave:** Belleza, armonía, paz, arte, diplomacia, compromiso, balance.
- **Mantra:** «Yo relato».
- **Planeta regente:** Venus.
- **Color:** Verde, azul.
- **Metal:** Cobre.

- **Piedra natal:** Zafiro.
- **Parte del cuerpo:** Riñones, espalda baja.

Dado que la balanza simboliza a Libra, su glifo es muy sencillo. Es perfectamente simétrico y se asemeja a la balanza de la justicia, lo que convierte a Libra en uno de los pocos signos cuyos símbolos no implican animales. No obstante, el símbolo celeste y el glifo ilustran a la perfección la pasión de Libra por la armonía, el equilibrio y la justicia.

Los libra suelen ser personas extrovertidas, muy dinámicas y enérgicas, en parte gracias a su elemento aire. Sin embargo, este signo es el tercero entre los signos cardinales del zodíaco. Se sitúa al principio del otoño, cuando la energía del sol empieza a disminuir de forma más notable. Esto confiere a Libra un grado de calma y control que le impide volverse demasiado intenso. El equinoccio de otoño es uno de los factores que contribuyen a la capacidad y el ansia de equilibrio de Libra. El equilibrio entra en todos los aspectos de la visión del mundo y el estilo de vida de Libra, influyendo en todo, desde la pasión por la justicia hasta la capacidad de ser diplomático y llegar a acuerdos. Por ello, Libra es un signo positivo que, en última instancia, está orientado hacia el mundo exterior, a pesar de ser más comedido que la mayoría de los géminis, por ejemplo. La mayoría de los libra son muy sociables y suelen ser los más elegantes y bien hablados en la mayoría de los grupos en los que se encuentran.

Escorpio

- **Fecha:** Octubre 23 - noviembre 21.
- **Palabras clave:** Concentración, conducción, ambición, determinación, persistencia, intensidad, emoción.
- **Mantra:** «Yo transformo».
- **Planeta regente:** Marte (clásico) y Plutón (moderno).
- **Color:** Rojo, negro.
- **Metal:** Hierro.
- **Piedra natal:** Ópalo, topacio.
- **Parte del cuerpo:** Intestino, genitales.

Como es bien sabido y bastante claro a primera vista, el escorpión simboliza a Escorpio. Además, el glifo del signo parece muy sencillo a primera vista, ya que lo primero en lo que se fija la mayoría de la gente es en la cola de escorpión del lado derecho. Sin embargo, si se examina más detenidamente, se puede ver que este glifo es más de lo que parece a simple vista. La cola es una línea curva con una flecha al final, que sobresale del extremo derecho de una forma de «M». En general, la amenazadora cola de escorpión que contiene el glifo es un símbolo de la intensidad y la agresividad inherentes a este signo.

La estabilidad y determinación de Escorpio se deben en parte a que es el tercer signo fijo del zodiaco. La posición del signo en pleno otoño también tiene mucho que ver con su naturaleza reflexiva, reservada, tranquila e introspectiva. Los escorpio son la personificación de la fuerza en el silencio. Al mismo tiempo, el elemento agua es una influencia dinámica en la vida del escorpión, responsable de la creatividad, la imaginación y el impulso. Al ser uno de los signos más reservados e introvertidos del zodiaco, no es de extrañar que Escorpio posea una polaridad negativa. A pesar de la tendencia a ser reservado y consumido por su mundo interior, este signo es emocionalmente sofisticado y más que capaz de sentir, a pesar de lo poco expresivo que pueda parecer Escorpio.

Sagitario

- **Fecha:** Noviembre 22 - diciembre 21.
- **Palabras clave:** Aprendizaje, novedad, viaje, filosofía, pregunta, enseñanza, búsqueda.
- **Mantra:** «Yo veo».
- **Planeta regente:** Júpiter.
- **Color:** Azul, azul claro.
- **Metal:** Plomo.
- **Piedra natal:** Topacio.
- **Parte del cuerpo:** Muslos, hígado, caderas.

Sagitario es conocido y simbolizado por el arquero. Este signo tiene uno de los glifos más sencillos, que consiste en una flecha con una línea corta que la divide por la mitad, simbolizando el arco y la flecha del arquero. La flecha está inclinada hacia la derecha a 45 grados, apuntando hacia el noreste. Esta dirección puede interpretarse como que la flecha apunta hacia la distancia, simbolizando la sed de aventura, descubrimiento y aprendizaje inherentes al arquero.

Sagitario es un signo de fuego, en perfecta consonancia con el impulso y la inagotable energía del arquero para alimentar su aventura. Estas personas dinámicas pueden dejarse llevar en su búsqueda de la novedad y la verdad, desviándose hacia el territorio de lo temerario. Sin embargo, su modalidad mutable ayuda a los sagitario a improvisar, adaptarse y superar los obstáculos, y normalmente acaban bien, a pesar de las adversidades. El arquero ocupa una posición al final del otoño, con un rango de fechas que termina justo cuando el invierno se afianza. Esta es la energía que ayuda a los arqueros a transformarse y adaptarse a los cambios. Este signo tan extrovertido y orientado al mundo tiene una polaridad positiva y suele dejar huella en los demás. Los sagitarianos son expresivos y francos hasta la saciedad, no tienen miedo de decir las cosas como las ven, aunque eso signifique decir verdades incómodas.

Capricornio

- **Fecha:** Diciembre 22 – enero 19.
- **Palabras clave:** Diligencia, practicidad, solitario, objetivos, estructura, conservador, ambición, trabajo, eficiencia.
- **Mantra:** «Yo uso».
- **Planeta regente:** Saturno.
- **Color:** Marrón, negro, azul oscuro.
- **Metal:** Plomo.
- **Piedra natal:** Lapislázuli.
- **Parte del cuerpo:** Rodillas.

Capricornio, también conocido como la cabra marina del zodíaco, tiene con diferencia el glifo más intrincado y complejo, que consiste en dos símbolos, colocados uno al lado del otro. El de la izquierda suele interpretarse como la cabeza de una cabra, mientras que el de la derecha se asemeja a una cola marina que podría encontrarse en un pez o en una criatura mítica como la sirena. La complejidad del glifo permite varias interpretaciones.

Los capricornio extraen fuerza y solidez de la influencia de su elemento tierra. Las cabras de mar son fuertes, estables, trabajadores, orientadas a objetivos y, a menudo, autoritarias. No es raro que ocupen puestos de poder o de responsabilidad sobre otras personas, en los que suelen sentirse como en casa. Capricornio es el último de los signos cardinales y se sitúa al comienzo del invierno, lo que influye aún más en el potencial de liderazgo del signo. Capricornio tiende a ser el tipo de persona que impone respeto en todos los ambientes y en multitudes por su forma de relacionarse con los demás y de comportarse. Aunque Capricornio tiene una polaridad negativa y es propenso a la soledad y la introspección, a menudo no es tan sensible. A muchos capricornio les cuesta expresarse y abrirse a los demás de forma significativa. Esto funciona bien para la mayoría de ellos, ya que son más que capaces de resolver sus propios problemas, pero pueden perderse ayuda valiosa que, de otro modo, podría hacerles la vida mucho más fácil.

Acuario

- **Fecha:** Enero 20 – febrero 18.
- **Palabras clave:** Inteligencia, social, desapego, individualidad, rebelde, lógico.
- **Mantra:** «Yo sé».
- **Planeta regente:** Saturno (clásico) y Urano (moderno).
- **Color:** Celeste.
- **Metal:** Cobre.
- **Piedra natal:** Amatista.
- **Parte del cuerpo:** Canillas.

Acuario es simbolizado y reconocido como el portador de agua y su glifo expresa eso a la perfección. Las dos líneas paralelas y onduladas de este glifo siguen de cerca el tema del símbolo celeste del signo, aunque Acuario sea inesperadamente un signo de aire. Aun así, el simbolismo del agua y su forma de fluir sugieren algo sobre la capacidad de este signo para comunicarse libremente y relacionarse con la gente.

El elemento aire de este signo permite a los acuario pensar con libertad y originalidad, lo que les ayuda a tener las ideas innovadoras por las que son conocidos. Los acuario también son expertos en improvisación y les resulta fácil mantenerse concentrados en las cosas, por muchas vueltas que den. Este es el último signo fijo en cuanto a modalidad y está situado en pleno invierno, proporcionando el contrapeso perfecto al elemento aire y a su influencia. Los acuario suelen ser extrovertidos y su polaridad es positiva, lo que los convierte en uno de los signos más equilibrados a la hora de mantener su mundo interior de ideas y la comunicación con el mundo exterior en una escala uniforme. Todos estos factores explican por qué los acuario se encuentran a menudo en el campo de la ciencia o en carreras académicas.

Piscis

- **Fecha:** Febrero 19 – marzo 20.
- **Palabras clave:** Compasión, intuición, creatividad, espiritualidad, soñador, adaptación, imaginación.
- **Mantra:** «Yo creo».
- **Planeta regente:** Júpiter (clásico) y Neptuno (moderno).
- **Color:** Morado, violeta, verde marino.
- **Metal:** Plomo.
- **Piedra natal:** Piedra de luna.
- **Parte del cuerpo:** Hígado, pies.

El pez simboliza Piscis y el glifo de este signo muestra una conexión con ese animal. Es otro glifo simétrico, que consiste en dos líneas que se curvan alejándose la una de la otra y casi tocándose las puntas en medio, donde una línea horizontal las atraviesa a ambas. Las ilustraciones del pez suelen representar el mismo simbolismo, haciendo que los peces naden en direcciones opuestas. Una forma de interpretar esto es como un símbolo de la búsqueda constante de ideales por parte de los piscis y la necesidad de equilibrarlos con las realidades del mundo exterior. Este conflicto interior es la lucha de la vida de este signo, pero también es la fuente de todo lo que nos gusta de Piscis.

Piscis es el último signo mutable y, como tal, tiende a ser adaptable y capaz de improvisar en condiciones que cambian rápidamente. La naturaleza dinámica de Piscis se consolida aún más por su elemento agua y por el hecho de que cae al final del invierno. No anuncia el comienzo de una estación, pero sin duda se relaciona con una época de transformación natural. Al mismo tiempo, Piscis es un signo negativo que centra gran parte de su energía y emociones en su mundo interior. El pez es intuitivo, espiritual y propenso a soñar a lo grande. A pesar de este enfoque interior, Piscis es uno de los signos más compasivos, siempre comprensivo con los demás y sus dificultades.

Capítulo 5: Recorrido por las doce casas

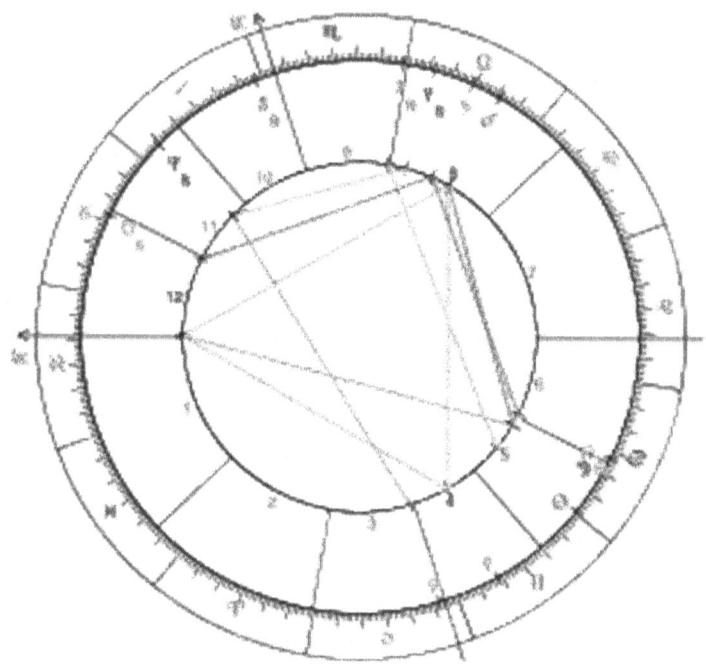

Rueda de las casas
Morn, CC BY-SA 3.0 <https://creativecommons.org/licenses/by-sa/3.0>, vía Wikimedia Commons https://commons.wikimedia.org/wiki/File:Natal_Chart_-_Adam.svg

Las *casas* astrológicas constituyen otro aspecto importante de la lectura astrológica que resulta muy útil para crear e interpretar correctamente las cartas natales. Junto con los signos zodiacales, los planetas y los aspectos planetarios, estas casas son la base de toda carta astral. A lo largo de la historia, diferentes culturas y disciplinas astrológicas han ideado sistemas distintos, pero el más utilizado en la astrología occidental actual es el sistema *Placidus*.

Hay doce casas astrológicas, que corresponden a una división en doce partes del plano eclíptico de la órbita de nuestro sol. Se trata de una división del zodíaco de este a oeste en el horizonte, basada en el lugar de observación. Por eso el signo ascendente cae en el lado izquierdo del zodiaco, el horizonte este. En términos sencillos, estas doce casas son doce partes o áreas iguales que se ven en la mayoría de las ruedas del horóscopo y cada una está ocupada por uno de los doce signos del zodiaco. Esta división del horóscopo en doce partes se determina por la rotación de la Tierra y el lugar y la hora precisos del nacimiento de una persona, no solo de la fecha.

Cada una de las casas influye en un área determinada de la vida y la posición de los planetas y los signos del zodiaco con respecto a estas casas en el momento exacto del nacimiento determina aspectos de la personalidad y experiencias de la vida a través de una combinación de influencias astrológicas única para cada persona. Este capítulo da una visión general de las doce casas, lo que representan y cómo influyen.

La casa del yo

- **Palabras clave:** Yo, identidad, apariencia, ego, personalidad, actitud, bienestar, inicio.
- **Signo regente:** Aries.
- **Planeta:** Marte.

La primera casa es la casa de la identidad, el ego, los comienzos y todas las cosas que son primero. En las cartas natales, es la casa en la que el signo ascendente aparece en el horizonte al nacer. Quizá la característica más definitiva de la primera casa astrológica es que está totalmente dedicada a describir a la persona y su personalidad. Esta casa también está asociada al cuerpo, incluido el aspecto físico y la sensación de estar en la propia piel. Esto la diferencia de otras casas, que suelen referirse a cosas, lugares y personas que se encuentran y experimentan a lo largo de la vida, todos ellos factores externos. En pocas palabras, la primera casa es la fuente de la identidad, a través de la cual se afectan todos los aspectos de la vida.

La forma en que la primera casa afecta la identidad se ve modificada por el planeta que se encuentra en esta casa en el momento del nacimiento. Así es como las influencias planetarias y sus energías únicas interactúan con las doce casas, creando una combinación de influencias astrológicas únicas para cada persona. Puesto que la primera casa tiene que ver con la identidad, depende de usted o de un astrólogo interpretar cómo encaja cada uno de los planetas en la ecuación, como aprenderá más adelante. Por ahora, considere el ejemplo de Mercurio, que es un planeta conocido por su energía expresiva y su asociación con la comunicación. Si su carta natal muestra que Mercurio estaba en su primera casa al nacer, puede que le guste hablar y sea muy comunicativo.

La casa de las posesiones

- **Palabras clave:** Valor, posesiones, ingresos, autoestima, dinero, seguridad, trabajo, rutina.
- **Signo regente:** Tauro.
- **Planeta:** Venus.

La segunda casa es la de las posesiones, el valor o los ingresos, entre otros nombres. Estos nombres sugieren a qué área de la vida está asociada esta casa. Esta casa rige las posesiones materiales que se tienen y la estabilidad financiera. También afecta la estabilidad de otras áreas de la vida, especialmente las del entorno inmediato. La asociación de la segunda casa con el valor también está en un ámbito más abstracto, afectando el sistema de valores interno. Esto puede traducirse en cómo se priorizan las cosas en la vida o cuánto importan las posesiones materiales. Así es como se deciden las necesidades y deseos, incluyendo las diferencias entre el fracaso y el éxito o la felicidad y la miseria.

La segunda casa es responsable de moldear mentalidades enteras en relación con el dinero y los recursos, influyendo en cosas como la mentalidad de escasez, el gasto irresponsable o hábitos como la acumulación. La forma de valorar los bienes materiales, las relaciones y, en última instancia, a sí mismo, son aspectos que se ven afectados por la segunda casa. Es importante tener en cuenta que los planetas individuales pueden dirigir estas influencias en varias direcciones, ya sea en beneficio o en detrimento. Saturno, por ejemplo, es una fuerza de disciplina y orden, por lo que su presencia en la segunda casa tiende a producir responsabilidad financiera.

La casa del compartir

- **Palabras clave:** Ambiente, hermanos, comunicación, mente, sociedad, educación temprana.
- **Signo regente:** Géminis.
- **Planeta:** Mercurio.

La casa del compartir o de la comunicación es la tercera de las doce casas y es la casa de Géminis. Como su nombre lo indica, esta casa trata de la comunicación e interacción con los demás. También está asociada a comunicación consigo mismo, lo que significa que esta casa afecta el pensamiento y la resonancia y tiene que ver con el monólogo interior, los pensamientos y la introspección de cada persona. Dicho esto, la tercera casa ejerce una enorme influencia en la capacidad para encajar en equipos, comunidades, vecindarios, amigos y familia. Así, esta influencia dicta la naturaleza y la calidad de las relaciones. Otras áreas de la vida en las que puede influir esta casa son el rendimiento escolar en los primeros años, incluida la adquisición de habilidades y conocimientos básicos.

Los humanos somos animales sociales y la comunicación es una de las facetas más importantes de nuestra existencia. Los problemas en esta área pueden llevar a un fracaso en la comunicación, lo que tiene consecuencias incalculables en todos los ámbitos de la vida, desde el hogar al trabajo, pasando por la amistad. Teniendo esto en cuenta, debe tener cuidado con los planetas que transiten por su tercera casa al nacer, ya que pueden ser una fuente de gran fuerza o un problema en el que deba trabajar en la vida.

La casa del hogar y la familia

- **Palabras clave:** Hogar, familia, emociones, niñez, madres, feminidad, raíces.
- **Signo regente:** Cáncer.
- **Planeta:** Luna.

Mientras que la tercera casa se centra en la comunicación de forma más general, la cuarta se centra más exclusivamente en la vida familiar y en los asuntos relacionados con el hogar. Esta influencia no solo afecta a la familia actual, sino también a los parientes y antepasados. No es de extrañar que un signo tan afectuoso y hogareño como Cáncer encuentre su hogar en esta casa, ya que ambos se complementan a la perfección.

La cuarta casa es la responsable del sentido de pertenencia a un lugar y a las personas con las que se tiene conexión a través de las propias raíces. Esta energía alimenta la capacidad humana de reconocer y valorar la continuidad a través de las generaciones, un tipo de conciencia única en nuestra especie. El hogar también significa seguridad y sensación de cobijo; la cuarta casa es donde reside esta calidez. Por supuesto, esta casa también afecta la forma de percibir la vida familiar y la importancia que se le concede. Por ello, es importante tener en cuenta los planetas que estén en la cuarta casa en el momento del nacimiento. La energía amorosa y embellecedora de Venus, por ejemplo, tiende a reforzar los lazos familiares. Por el contrario, algunas de las energías planetarias más agresivas pueden hacer que los ánimos se caldeen en casa.

La casa del placer

- **Palabras clave:** Romance, amor, creatividad, fertilidad, expresión, júbilo, diversión, riesgo.
- **Signo regente:** Leo.
- **Planeta:** Sol.

La casa del placer es otra casa astrológica con un nombre bastante explícito en cuanto a su tema central. Todas las cosas que complacen en la vida tienen que ver con esta casa y sus influencias. Sin embargo, hay más de lo que parece, ya que la quinta casa también tiene que ver con la creación en el sentido más amplio. Esto significa que está asociada con cosas como la procreación y el nacimiento, el arte y otros esfuerzos creativos. Al igual que la segunda casa, la del valor, la quinta afecta a la percepción, ya que las ideas sobre el placer varían bastante de un individuo a otro.

En un sentido más amplio, la posición de los planetas en la quinta casa determina la importancia que se le da al placer. Por ejemplo, si un planeta como Venus atraviesa la quinta casa en el momento del nacimiento, es probable que esa persona no vea sentido en la vida sin todo tipo de placeres. Otras colocaciones, o la falta de ellas, podrían llevar la vida en la dirección opuesta. La quinta casa también está relacionada con la asunción de riesgos, sobre todo en lo que respecta al placer y la indulgencia, por lo que es importante tener cuidado con las influencias planetarias que se escapan de las manos. Si actúa en consecuencia, encuentra la forma de garantizar un equilibrio seguro entre riesgo y recompensa, especialmente con la presencia de influencias más restrictivas como Saturno.

La casa de la salud

- **Palabras clave:** Salud, forma, análisis, naturaleza, rutinas laborales, organización, utilidad.
- **Signo regente:** Virgo.
- **Planeta:** Mercurio.

La sexta casa se conoce comúnmente como la casa de la salud, y a veces como la casa del mantenimiento. Esta casa es la fuente de la vitalidad, la fuerza y el bienestar general, especialmente físico. Por otro lado, la sexta casa se asocia con la enfermedad y las lesiones o, más exactamente, con la forma de enfrentarse a estos obstáculos para alcanzar el bienestar. En general, gran parte de la energía de esta casa gira en torno a las luchas diarias en todas sus formas y niveles de intensidad, dependiendo de la vida de cada individuo. Debido a la asociación con la lucha diaria, Marte es una combinación interesante con esta casa por su energía agresiva y su antigua asociación con la guerra.

Los planetas que dan energía a cosas como la disciplina, la rutina y el autocuidado influyen positivamente si están en esta casa al nacer. Esta combinación de energías facilita la adopción de hábitos saludables y evita los malos. Esta casa también está fuertemente asociada con las rutinas y los deberes relacionados con el trabajo. La conexión de esta casa con el bienestar también va más allá de la salud física; su energía puede ser la fuerza impulsora de la superación personal y el crecimiento en el sentido más amplio.

La casa del equilibrio

- **Palabras clave:** Relaciones, matrimonio, compartir, contratos, amistad.
- **Signo regente:** Libra.

- **Planeta:** Venus.

La casa del equilibrio, también conocida como la casa de las sociedades, es donde Libra encuentra su hogar. La asociación con las sociedades tiene amplias implicaciones en todos los ámbitos de la vida, incluidas las relaciones, las amistades, el matrimonio o las relaciones comerciales. Esta casa influye mucho en la capacidad de cooperar con los demás, llegar a un entendimiento, hacer concesiones y trabajar con otros en busca de cualquier objetivo. Esta es la influencia que hace que una persona sea diplomática y amistosa.

La séptima casa tiene un don especial para las asociaciones que tienen el potencial de cambiar la vida. La importancia de las colocaciones planetarias en esta casa radica en cómo afectan la capacidad para relacionarse con otras personas y garantizar que estas sociedades encuentren el equilibrio adecuado entre el interés propio y el sacrificio. Con un poco de suerte, las posiciones beneficiosas en la séptima casa ayudan a ser un mejor cónyuge, amigo o a sobresalir en los negocios, sobre todo cuando hay que hacer tratos, entablar negociaciones y firmar contratos. La séptima casa también influye en la forma de tratar a los enemigos y oponentes en cualquier ámbito de la vida.

La casa de la transformación

- **Palabras clave:** Fusiones, intimidad, sexualidad, herencias, inversiones, activos, propiedad, esfuerzos conjuntos, muerte.
- **Signo regente:** Escorpio.
- **Planeta:** Plutón.

La octava casa recibe varios nombres, como la casa de la transformación, el sexo, la muerte y las deudas. No es casualidad que esta casa sea el hogar de Escorpio, el más misterioso, solitario y críptico de los signos del zodíaco. La casa en sí es algo misteriosa, con energías peculiares que fluyen a través y desde ella, influyendo en algunas áreas diferentes de la vida. La muerte y el renacimiento son temas importantes en esta casa, que pueden traducirse en profundos cambios y transformaciones personales a lo largo de la vida, y no solo en la muerte y el nacimiento.

Dependiendo de los planetas que atraviesen la octava casa en el momento del nacimiento, puede influir fuertemente en el misterio. Dependiendo de otros factores astrológicos, esto puede manifestarse en un profundo interés por lo sobrenatural y lo oculto. La octava casa también tiene que ver con la sexualidad, los compromisos de todo tipo y las finanzas, especialmente las inversiones. En lo que se refiere al dinero, se debe tener en cuenta que la octava casa está más relacionada con el dinero de los demás que con el propio. Por ejemplo, las empresas financieras conjuntas que requieren una puesta en común de recursos pueden verse afectadas. Debido a su asociación con la regeneración y la transformación, esta casa también determina la forma de afrontar y superar los traumas emocionales y psicológicos.

La casa del propósito

- **Palabras clave:** Viaje, filosofía, espiritualidad, religión, ideales, educación superior, aprendizaje, sabiduría, ética.
- **Signo regente:** Sagitario.
- **Planeta:** Júpiter.

La novena casa también se conoce con diferentes nombres, como la casa de los propósitos, los viajes y la filosofía. En el sentido más amplio, uno de los temas más importantes de esta casa es cómo se experimenta, comprende y descubre el mundo. Por eso, la filosofía, los viajes, el aprendizaje, la espiritualidad y la educación superior son aspectos importantes de esta casa. Esta casa ejerce influencias que ayudan a alcanzar un sentido de propósito más fuerte, especialmente a través de las realizaciones que se derivan de los esfuerzos mencionados anteriormente. Estas metas e ideales se reflejan en Sagitario, el signo que reside en esta casa.

Si hubiera que resumir la novena casa en una palabra, esa palabra sería «exploración». Más allá de los viajes y la exploración física del mundo, la novena casa impulsa la exploración de sí mismo, de la mente y todas las búsquedas intelectuales que conducen al crecimiento personal. Cuando planetas fuertes con energías compatibles, como Júpiter, atraviesan la novena casa en el momento del nacimiento, las influencias son bastante pronunciadas. Esta mezcla de energías puede llevar a los individuos a comprometer sus vidas con la filosofía, la enseñanza o la religión organizada. Estas posiciones se asocian a menudo con sacerdotes y otros líderes religiosos o espirituales.

La casa del emprendimiento

- **Palabras clave**: Reputación, carrera, ambición, objetivos, estructura, masculinidad, padres, experticia.
- **Signo regente:** Capricornio.
- **Planeta:** Saturno.

La décima casa es la casa de la carrera, la empresa y el estatus social. La vida profesional y la posición pública, es decir, la reputación y la imagen, son temas centrales de esta casa. Es el hogar de Capricornio, por lo que no es de extrañar que también afecte la autoridad, la ambición y el impulso. La casa del emprendimiento ejerce su influencia en los esfuerzos humanos individuales y colectivos que tienen que ver con la autoridad, especialmente en las áreas de gobierno y otras estructuras que mantienen unido al mundo. También se asocia con diversas figuras de autoridad que se encuentran en la vida como jefes, médicos o personas admiradas.

Más que afectar al éxito o al fracaso de una carrera en particular, las posiciones planetarias de la décima casa al nacer influyen en el campo y la dirección que toma esa carrera. Dado que la carrera y la vida profesional son facetas tan importantes de la existencia humana, muchos astrólogos consideran que la casa de la empresa es una de las más importantes del zodiaco. Su influencia puede determinar la historia de toda una vida, por lo que es importante prestar atención a las colocaciones de esta casa en la carta astral. La influencia de la décima casa también contribuye a cambios y transformaciones profesionales en cualquier momento de la vida.

La casa de las bendiciones

- **Palabras clave:** Amigos, grupos, humanismo, esperanza, objetivos, deseos.
- **Signo regente:** Acuario.
- **Planeta:** Urano.

La undécima casa es la casa de las bendiciones, también conocida como la casa de la amistad. Al igual que la séptima casa, afecta las relaciones personales y tiene que ver con los grupos y con la forma de interactuar o encajar en ellos. Por lo tanto, tiene mucho sentido que el sociable y grupal Acuario encuentre su hogar en este domicilio astrológico. Sin embargo, la energía de esta casa no solo tiene que ver con las redes personales y las amistades. En un sentido más amplio, también rige aspectos como los esfuerzos humanitarios y las relaciones con la sociedad en general. La undécima casa influye en el grado de pertenencia a un entorno más amplio, como una cultura o una nación. Esta influencia también actúa como una guía que ayuda a identificar el propio rol dentro de dicho colectivo.

La undécima casa también se asocia con el cumplimiento de metas y deseos, lo que a menudo se traduce en ganancias materiales y riqueza. También está marcada por otros temas relativamente amplios, como el amor y la felicidad, sobre todo cuando se trata de cómo se comparten estas alegrías con los demás.

La casa del sacrificio

- **Palabras clave:** Finales, aislamiento, clausura, curación, acción, vida después de la muerte, sutileza, escapismo.
- **Signo regente**: Piscis.
- **Planeta:** Neptuno.

La duodécima y última casa astrológica suele denominarse la casa del sacrificio, en consonancia con su signo residente, Piscis. El siempre comprometido y sacrificado Piscis se siente en su hogar en esta casa. Con ciertas posiciones planetarias, la energía de la duodécima casa puede convertir a los piscianos en algunas de las mejores personas que se podrían conocer jamás.

Por otra parte, la duodécima casa también se conoce como la casa del inconsciente. De la misma manera que el inconsciente reside justo bajo la superficie, la duodécima casa es el lugar situado justo en el horizonte en el momento del nacimiento. Al igual que la octava casa, esta casa está abierta a varias interpretaciones y se asocia con diversas influencias, algunas de ellas bastante abstractas. Los sueños, las emociones, la intuición y otras cosas invisibles que provienen de lo más profundo del ser están influenciadas por la duodécima casa. Las energías intuitivas y emocionales como las de la luna y Neptuno pueden hacer de esta casa y su energía una fuerza increíblemente potente en la vida. Puesto que los piscis son conocidos por su naturaleza intuitiva y reflexiva, estas posiciones pueden hacer que el pez invierta tanto en su mundo interior, que se olvide de sí mismo.

Capítulo 6: Principales aspectos planetarios

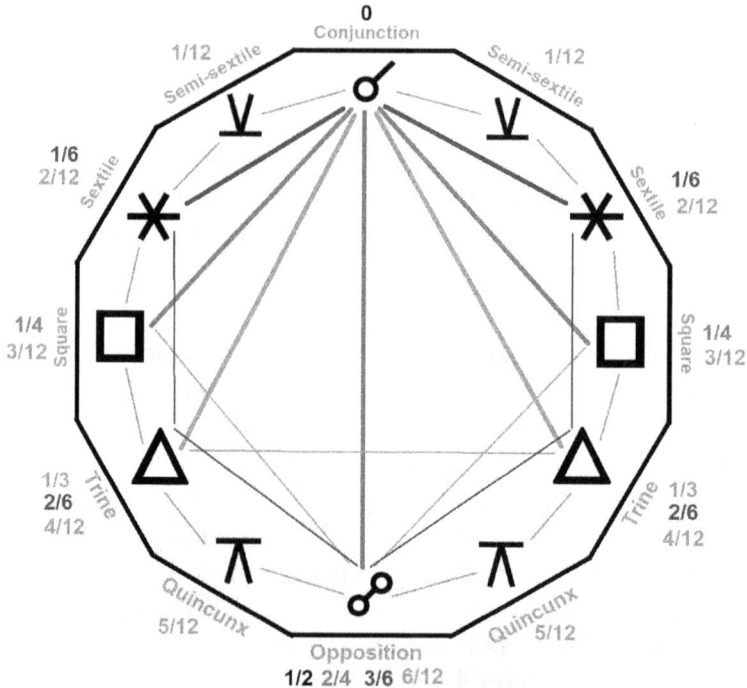

Principales aspectos planetarios
Tomruen, CC BY-SA 4.0 <https://creativecommons.org/licenses/by-sa/4.0>, via Wikimedia Commons https://commons.wikimedia.org/wiki/File:12_astrological_aspects.png

Los aspectos planetarios, también conocidos como aspectos astrológicos, representan las relaciones entre los diferentes planetas de su carta. En su carta astral, estos aspectos astrológicos están representados por líneas que se pueden ver conectando diferentes planetas de la carta. Estos aspectos se dividen generalmente en dos categorías: aspectos planetarios mayores y menores. Entre los aspectos planetarios mayores, tenemos la conjunción, el sextil, el cuadril, el trígono y la oposición, todos ellos definidos por el ángulo en el que dos planetas de una carta están conectados en el centro. Dado que el centro de la carta representa la Tierra, que es nuestro punto de vista, los aspectos planetarios se determinan trazando líneas rectas entre los planetas y el centro de la carta y observando después el ángulo que forman las líneas de los dos planetas.

En términos sencillos, los aspectos planetarios representan relaciones especiales o asociaciones, por así decirlo, entre los planetas de su carta. Esto significa que los planetas unirán sus energías y rasgos para ejercer una influencia astrológica específica en su vida. Esto puede tener varios efectos, que pueden ser equilibrantes, restrictivos o energizantes, según el aspecto, los planetas en cuestión y los signos que ocupan esos planetas, entre otras cosas. La interacción entre los planetas y los signos zodiacales es otra parte importante de los aspectos planetarios. En este capítulo, examinaremos detenidamente los principales aspectos planetarios, qué significa cada uno y cómo le afectan. Aunque cada aspecto tiene una interpretación general y sus asociaciones, el efecto de ese aspecto en usted dependerá en última instancia de qué planetas estén en juego, gracias a sus rasgos y energías individuales.

Conjunción

La conjunción astrológica de dos planetas se produce cuando esos dos planetas están muy cerca el uno del otro, normalmente en el mismo signo zodiacal, con un grado similar. También es posible que dos planetas estén cerca el uno del otro, pero situados en o cerca de una cúspide, que es esencialmente la línea que separa signos zodiacales consecutivos o casas astrológicas en la rueda zodiacal u horóscopo. En la práctica, esto significa que dos planetas están muy cerca el uno del otro en el cielo, tal y como se observa desde la Tierra, en el momento del nacimiento.

En términos estrictamente astrológicos, los astrólogos suelen considerar la conjunción como el aspecto más fuerte. Este aspecto es esencialmente un vínculo estrecho entre los dos planetas en cuestión. Ese vínculo se caracteriza por crear una combinación de las energías de estos dos planetas, que se alimentan y afectan mutuamente de diversas maneras. Los resultados de esta interacción dependerán de varios factores, incluyendo los rasgos de los planetas, el signo en el que están posicionados y sus casas. Cuando las energías de dos planetas se mezclan en conjunción, sus rasgos y asociaciones inherentes pueden verse amplificados, inhibidos o modificados de alguna otra forma. Algunos planetas son más compatibles que otros, por lo que es importante conocerlos bien a todos.

Por ejemplo, si la carta astral de una persona muestra que su Sol y Venus están en conjunción, esto puede ser una influencia muy poderosa y energizante. Sin embargo, el signo en el que se produce esta conjunción puede ser un factor decisivo. Para un signo fogoso y agresivo como Aries, Venus puede actuar como una influencia mitigadora y amorosa que frene la agresividad del Carnero con amabilidad y amor. Por otro lado, una conjunción entre el Sol y Marte puede exacerbar la naturaleza agresiva de Aries. En cualquier caso, éste es un buen ejemplo de cómo un mismo aspecto puede influir de forma muy diferente en dos personas distintas, gracias a las propiedades únicas de los planetas. Por último, un planeta suele dominar al otro en conjunción, dependiendo del signo y la casa donde se produzca. Las conjunciones también pueden darse con más de dos planetas, denominadas stellium.

Debido a estas variaciones, las conjunciones no tienen por qué ser necesariamente «favorables», aunque suelen serlo. Según la mayoría de los astrólogos, energías como las de Venus y Júpiter suelen ser deseables y beneficiosas en las conjunciones. En cambio, planetas como Marte o Saturno suelen ser perturbadores y tienden a no llevarse muy bien con la mayoría de los planetas en conjunción. Esto no significa que tales conjunciones sean una maldición que lo condenará a sufrir. Estas conjunciones son sólo un desafío potencial y, como tales, tienen un propósito en su vida, por ejemplo, hacerle más fuerte e incitarle a crecer como persona.

Sextil

Cuando los planetas están situados a 60 grados o a dos signos de distancia en la carta astral, se encuentran en lo que se denomina un aspecto sextil. Los astrólogos consideran que este aspecto es muy positivo, ya que los planetas en cuestión se apoyan mutuamente al tiempo que fomentan una relación de beneficio mutuo entre los signos zodiacales que ocupan. Los sextiles son, por tanto, asociaciones armoniosas que permiten a los signos complementarse, lo que puede manifestarse de varias formas favorables, dependiendo de las características únicas de su carta. Por lo general, todos los signos y planetas tienen lados y rasgos positivos, que un aspecto sextil permite que florezcan y salgan a la luz. Técnicamente hablando, el sextil es un aspecto armonioso y complementario porque los planetas que ocupan posiciones de la carta separadas 60 grados siempre caerán en signos zodiacales que son elementalmente complementarios, es decir, tierra y agua o fuego y aire.

Este aspecto no siempre es tan fuerte y activo como otros, pero es importante. A menudo, un sextil puede dar a uno de sus planetas el impulso que necesita para ejercer una influencia más positiva en su vida. Por ejemplo, si tiene a Marte en sextil con uno de los planetas de su carta astral, ese planeta puede beneficiarse de la naturaleza agresiva y valiente de Marte, ayudando a equilibrar las debilidades de otro planeta. Un sextil es un aspecto astrológico sin pérdidas ni inconvenientes. Nunca plantea retos ni debilita a los planetas; simplemente garantiza que obtendrá lo mejor de todo.

El aspecto sextil también se conoce como trígono dividido por la mitad, un aspecto similar pero más poderoso. Si hubiera que describir este aspecto con unas pocas palabras clave, serían algo similar a «entusiasmo», «apoyo», «sencillez» y «comodidad». Una de las mejores características de este armonioso aspecto es que permite un libre flujo de ideas e inspiración entre los signos. No es raro que los sextiles refuercen el lado creativo y artístico de las personas, ayudándolas a expresar lo que llevan dentro. Los sextiles también se asocian con los dones, talentos y habilidades que ya tenemos. Puesto que muchos dan estas cosas por sentadas en lugar de utilizarlas en toda su extensión, un sextil en su carta puede ayudarle a energizarse para afinar aún más sus talentos y trabajar en sí mismo. El flujo de información, la comunicación, la relajación y la camaradería son algunos de los temas relacionados con los sextiles.

Cuadril

Cuando los planetas están separados unos 90 grados, se encuentran en un aspecto cuadril. De entrada, una carta que contiene un aspecto cuadril nos indica que los planetas con este aspecto están en signos de elementos incompatibles, pero de la misma modalidad. Sus signos también ocuparán cuadrantes diferentes. Estos son algunos de los factores que convierten a los cuadriles en aspectos astrológicos potentes y que producen cierta tensión entre los planetas y los signos que ocupan. Como aspecto intenso, el cuadril se manifiesta fácil y visiblemente, ejerciendo una influencia sustancial.

Sin embargo, la tensión, como ya se ha mencionado, no es necesariamente algo malo. Esta tensión puede mostrarle dónde y cómo necesita mejorar, y la presión a menudo puede ser justo lo que necesita para pasar a la acción. A pesar de que los astrólogos lo consideran el aspecto astrológico más difícil, no debe rehuir de lo que puede decir su carta natal. La tensión y la dificultad de los cuadriles están en la colisión de las energías planetarias. Como de costumbre, la clave está en leer los planetas específicos y lo que aportan, para poder ver cómo se comunican exactamente en tanto aspecto de cuadril.

Así como un sextil permite a los planetas mostrar su lado más brillante y positivo, un cuadril hace lo contrario. Es cuando el lado más oscuro y sombrío de cada planeta sale a la luz y se enfrenta directamente con el mismo lado del otro planeta. Naturalmente, esto da lugar a un poderoso choque de energías, que se traduce en frustración y conflicto. Como los planetas luchan por superarse mutuamente, la influencia más dominante prevalecerá por lo general y determinará la mayoría de las características de este aspecto astrológico.

Al igual que los planetas con este aspecto muestran sus lados sombríos, los cuadriles nos ayudan a identificar lados similares de nosotros mismos. Esto puede significar defectos, pero también heridas que necesitamos curar, y un aspecto cuadril en su carta puede ser un indicador útil en esa dirección. Es importante recordar que cada desafío conlleva una recompensa, por lo que los aspectos cuadriles son algo que debería trabajar en lugar de ignorarlos. El compromiso es siempre una buena forma de tratar el conflicto y la tensión producidas.

Trígono

Un aspecto trígono es similar a un sextil, pero este aspecto tiende a ser más potente e intenso como influencia astrológica. También es un aspecto positivo, con una energía generalmente favorable, y se produce cuando los planetas están separados unos 120 grados, lo que equivale a cuatro signos zodiacales en la rueda. Los signos sobre los que caen los planetas en trígono tendrán siempre el mismo elemento, produciendo naturalmente concordancia y sinergia. Este aspecto se asocia a menudo con la buena suerte, la paz y las nuevas oportunidades. Esta energía nos revela nuevos caminos y nos da energía para avanzar y progresar en la vida en cualquier frente que sea importante.

Al igual que ocurre con los sextiles, el problema de los trígonos es que son muy cómodos, por lo que es fácil caer en la pereza y descuidar lo que un trígono puede significar. Los aspectos cuadriles lo mantienen alerta por su tensión y conflicto, llevándole a actuar por necesidad e incomodidad, mientras que sus planetas en trígono requerirán cierta iniciativa personal. Aun así, se trata de un pequeño inconveniente fácilmente manejable. En general, los trígonos son uno de los aspectos más deseables y, en muchos sentidos, son incluso mejores que los sextiles.

Como siempre, tenga en cuenta las diferentes energías que pueden aportar los planetas en este aspecto. Si Venus aporta amor y creatividad, entonces un aspecto de trígono con Júpiter, que tiende a traer buena suerte, puede producir influencias muy favorables en las áreas del amor y el arte. Una colocación particularmente poderosa puede ocurrir cuando tres planetas forman un triángulo en su carta natal, cada uno ocupando un signo con el mismo elemento. Este aspecto se conoce como gran trígono y asegurará el libre flujo de todas las mejores características y energías de los tres planetas en cuestión. Esta poderosa combinación puede bendecirle con muchos dones y mucha buena fortuna, todo lo cual se manifestará de forma diferente dependiendo de los planetas que formen el gran trígono. Al mismo tiempo, es importante recordar que tal dominio de los trígonos en su carta astral puede hacer que las cosas sean tan cómodas que su motivación para superarse disminuya, algo con lo que debe tener cuidado.

Oposición

Como su nombre indica, la oposición es un aspecto en el que dos planetas ocupan posiciones opuestas en el cielo, a unos 180 grados o seis signos zodiacales de distancia. La polaridad y el conflicto son los temas centrales de este aspecto, que trata del equilibrio y de aprender a mantenerlo. Sin embargo, si lo aborda correctamente, puede ser de gran ayuda y enseñarle muchas lecciones. Como tal, este aspecto es potencialmente difícil y tenso, pero generalmente es más favorable que un cuadril.

Un aspecto de oposición en la carta astral puede manifestarse como una marcada dualidad en algunas personas. Piense en cambios de humor, alternancias entre extremos de cualquier tipo y una inclinación general hacia los cambios rápidos. El aspecto de oposición tiene un importante factor atenuante: la compatibilidad de elementos de los signos que ocupan los planetas. Esta compatibilidad suele ser la clave para controlar un aspecto de oposición en la carta y tenerlo bajo control.

Los signos opuestos y sus planetas ocupantes pueden encontrar una lengua común y, finalmente, empezar a trabajar al unísono a través del compromiso. Por supuesto, esto depende en gran medida de los planetas de la ecuación y de cómo interactúan sus energías. Aunque dos planetas puedan caer en oposición, sus rasgos pueden ser bastante complementarios, encajando como dos piezas opuestas en un todo funcional. La compatibilidad elemental juega un papel importante en este sentido, pero el mayor factor es el esfuerzo personal para que estas influencias funcionen juntas. El hecho de que los signos opuestos compartan su modalidad es otro problema que puede dificultar el entendimiento, pero si se esfuerza lo suficiente, los compromisos son posibles.

Debe interpretar los planetas de su carta, analizar sus rasgos y ver cómo se relaciona esta información con su vida. Los planetas opuestos pueden mostrarle en qué defectos debe trabajar, en qué frentes debe presionar y dónde debe adoptar un enfoque más relajado. Así es como las influencias conflictivas de los planetas opuestos pueden equilibrarse, ayudando en última instancia a sacar lo mejor de esta relación. También es importante tener en cuenta cuál de los planetas es más dominante, ya que es probable que sea aquel con el que tenga que trabajar.

Capítulo 7: Aspectos planetarios secundarios

Aunque los aspectos planetarios mayores suelen considerarse los más importantes o «principales», por así decirlo, también existen aspectos planetarios menores. Los aspectos de esta categoría son más numerosos y pueden ejercer diversas influencias astrológicas en la carta astral de una persona. En consecuencia, estos aspectos pueden ser muy importantes para una lectura precisa de la carta y para sacar más provecho de la astrología práctica, en general.

Algunos aspectos menores se mencionan y analizan con más frecuencia que otros, pero cuanto más aprenda sobre ellos, más herramientas tendrá a su disposición. En términos generales, los aspectos menores se asocian con algunas de las influencias y fuerzas sutiles de la carta. Algunos astrólogos describen los aspectos menores como relacionados con lo «mágico». También están más abiertos a la interpretación, con significados menos fijos que los de los aspectos mayores. El hecho de que su influencia rara vez esté completamente clara es una de las razones por las que estos aspectos se asocian con lo mágico y lo oculto.

Algunos astrólogos clasifican los aspectos astrológicos menores en dos categorías: una tiene que ver con las habilidades especiales y la otra con las fuerzas kármicas. Estas dos categorías también tienen sus mantras: «Yo hago» y «Yo hice», respectivamente. Dado que el número de aspectos menores puede llegar a ser bastante elevado, los astrólogos suelen limitar su número a unos pocos aspectos más comúnmente interpretados en función de cuánto se profundice en una carta. También se dividen en aspectos menores propios y raros. Es importante no dejarse engañar por la palabra «menores», ya que estos aspectos pueden ser tan importantes como los mayores y a menudo proporcionan la información exacta que se necesita para llegar a una conclusión valiosa al leer una carta. En este capítulo, veremos diez aspectos menores que suelen aparecer con más frecuencia en las cartas.

Semisextil

Como habrá deducido por su nombre, el aspecto semisextil se produce cuando los planetas se colocan con una separación de 30 grados o la mitad de un sextil. Esto significa que los planetas estarán situados en dos signos zodiacales consecutivos o vecinos en cuanto a la colocación planetaria. Esto tiene algunas implicaciones en el sentido astrológico, una de las cuales es que los dos planetas no tienen línea de visión entre ellos. Como tales, los aspectos semisextiles producen cierta tensión e incertidumbre, pero en última instancia son manejables.

Los planetas en este aspecto tendrán cierto grado de atracción entre ellos solo en virtud de su cercanía. Aun así, puede costar algún esfuerzo hacer que las energías e influencias de los dos planetas confluyan como deberían. Como ocurre con la mayoría de los aspectos astrológicos problemáticos, el compromiso es el mejor camino hacia lograr tal fin. Los signos consecutivos del zodíaco son siempre muy diferentes entre sí, divergentes en modalidad, polaridad y elemento. Si a esto le añadimos el conflicto potencial entre las energías de dos planetas muy diferentes que ocupan esos signos, tenemos una mezcla problemática que hay que resolver.

Al ser un aspecto menor, el semisextil no es el aspecto más influyente que se puede encontrar en una carta astral, pero merece la pena destacarlo por su asociación con el potencial. Al observar los rasgos y las energías que aportan los planetas en cuestión, estos factores pueden leerse como influencias que podrían o no estar actuando. Si su carta natal indica que sus planetas en semisextil podrían beneficiarle, merece la pena estudiarlo.

Quincuncio

El aspecto quincuncio, también conocido como inconjunción, se produce cuando los planetas se sitúan a unos 150 grados de distancia en la carta. La inconjunción es otro aspecto que aporta cierta tensión y malestar. Aun así, es el aspecto que la mayoría de los astrólogos consideran más importante entre los aspectos menores. Los planetas en este aspecto entran en conflicto, y sus energías estarán normalmente en un estado perpetuo de conflicto, con el planeta dominante ejerciendo una influencia más fuerte y suprimiendo al otro.

Este es otro de esos aspectos en los que el análisis de su carta y algo de introspección pueden ayudar a descubrir la mejor manera de equilibrar las influencias astrológicas en conflicto. Dependiendo de los planetas y signos en cuestión, puede ser difícil, pero la autorrealización y la mejora que puede venir como resultado valdrá la pena el esfuerzo. El quincuncio puede ser sorprendentemente influyente y notable en su vida para ser un aspecto astrológico menor.

Si a menudo se siente frustrado, dividido entre diferentes opciones y fuentes de presión, o simplemente en conflicto, puede que tenga un aspecto quincuncio en su carta. Si hubiera que describir el quincuncio con una palabra, sería estrés. Puede ver este aspecto como dos energías individuales que no tienen nada en común y están en conflicto encerradas juntas en una habitación pequeña. Esto es exactamente lo que ocurre con los planetas en inconjunción, una perturbación que requiere trabajo. El quincuncio también se asocia con el karma y la medicina.

Quintil

El semisextil y el quincuncio suelen considerarse los dos aspectos principales dentro de la categoría menor. Los otros numerosos aspectos astrológicos menores suelen clasificarse como menos importantes, pero sin duda pueden ejercer una influencia notable en su vida. Cuando todos esos otros detalles de su carta astral no son suficientes, y algunas preguntas siguen sin respuesta, será el momento de profundizar, y ahí es donde entran en juego los aspectos astrológicos adicionales, por poco importantes que puedan parecerles a algunos.

Uno de estos aspectos menos comunes es el quintil, que se produce cuando los planetas se encuentran a unos 72 grados de distancia entre sí.

El aspecto quintil es generalmente una influencia positiva y favorable, asociada sobre todo con talentos innatos y sentidos delicados. Este aspecto puede ser muy enérgico y estimular la ambición y el deseo de expresarse. En la cresta de la ola de este aspecto, también puede sentir un mayor impulso para influir en el mundo. Los sentidos agudos y agudizados que fomenta este aspecto también pueden permitirle ver las cosas más allá del nivel superficial, obteniendo percepciones que la mayoría de las personas podrían pasar por alto.

Aun así, el quintil no es el tipo de aspecto que hará las cosas por usted, ya que le exigirá que se esfuerce por aprovechar sus talentos y su intuición. El quintil es un aspecto armonioso que divide la rueda en cinco partes iguales y forma una estrella de cinco puntas en la carta. Aunque los astrólogos a menudo pasan por alto este aspecto, se sabe que desvela lecciones y potencial que de otro modo permanecerían ocultos.

Biquintil

Los planetas están en aspecto biquintil cuando están separados por unos 144 grados en la carta. Al igual que el aspecto quintil, el aspecto biquintil es un aspecto favorable con influencias positivas, aunque los astrólogos suelen descuidarlo. Un aspecto biquintil equivale a dos quintiles o, más exactamente, a un tercio del círculo de la carta. Dependiendo de las colocaciones planetarias, una carta astral puede contener más de un aspecto biquintil. Cuando dos de ellos se unen, sus líneas forman una figura parecida a la punta de una lanza o una flecha, lo que constituye una poderosa influencia en lo que a aspectos menores se refiere.

Así como el aspecto quintil se sitúa entre sextil y cuadril, representando las crisis de talento y creatividad, el aspecto biquintil se sitúa entre la incomodidad del sesquicuadril y la necesidad de ajustarse, que se asocia con el quincuncio. Todo esto significa que el aspecto biquintil está fuertemente asociado con las búsquedas artísticas, lo cual es incluso más pronunciado que en el aspecto quintil. Este aspecto también impulsa al individuo a ser aún más expresivo y a compartir sus ideas con el mundo. Recuerde que tanto los aspectos quintiles como los biquintiles pueden arrojar luz sobre talentos ocultos si sabe dónde buscar. Si se pregunta para qué es bueno y si tiene un don para ciertas habilidades, asegúrese de averiguar si alguno de estos aspectos está actuando en algún lugar de su carta natal.

Septil

Dentro de los aspectos septiles, hay septiles regulares, biseptiles y triseptiles, que comienzan con el septil básico. Este divide a los planetas en 51 grados y 25 minutos en la carta. El septil básico divide el horóscopo en siete partes iguales y se considera uno de los aspectos más raros que pueden aparecer en una carta astral.

El aspecto septil tiene algunas asociaciones poderosas con el simbolismo, incluyendo el heptagrama y el número siete. El heptagrama (estrella de siete puntas) se relaciona con el sentido más amplio de las siete esferas planetarias y el paso del tiempo. Los astrólogos también asocian este aspecto con la divinidad y la espiritualidad, que está claramente simbolizada por el número siete. Este número ha tenido durante mucho tiempo un gran poder simbólico en la religión, con connotaciones espirituales muy fuertes. Así pues, el septil puede ser un aspecto muy inspirador que tiende a fomentar el sentido humano de la maravilla y nuestro asombro ante el universo en toda su grandeza. Este tipo de influencia fomenta el crecimiento espiritual y puede ayudarle en su camino hacia una conciencia y un estado mental más elevados, ya sea en relación con la espiritualidad, el arte o cualquier otra empresa que surja de su interior.

Este aspecto de perspicacia y visión más profundas va más allá del individuo y sus preocupaciones terrenales. Aprovechar la energía de un aspecto septil, suponiendo que aparezca en su carta astral, es sintonizar con dimensiones que van más allá de nuestra comprensión básica.

Octil

El aspecto octílico se produce entre planetas separados 45 grados en la carta. Como se trata de la mitad de un ángulo de 90 grados, también se denomina aspecto semicuadril. El aspecto octílico es la octava parte del círculo completo de la carta y, en muchos sentidos, es una versión a menor escala del aspecto cuadril. Esto significa que conserva muchos de los efectos adversos del aspecto cuadril, como la tensión, el estrés y el conflicto, pero con menor intensidad.

Al igual que el aspecto cuadril, el octílico puede ayudarle a identificar ciertas áreas problemáticas y presentar retos que debe superar para emprender acciones significativas y realizar los cambios necesarios en su vida. La inquietud, el malestar y las molestias sutiles pueden ser síntomas de la influencia de un aspecto octílico que debe abordarse. Al igual que los cuadriles, este aspecto planetario adverso representa tanto una oportunidad como una molestia. El hecho de que el aspecto semicuadril sea menos intenso que el cuadril completo también tiene su reverso.

Aunque su influencia puede ser más débil, esto también significa que puede ser más difícil de sentir y detectar, lo que puede causar dificultades para identificar el problema. Esto hace que la tensión y el conflicto en la carta sean muy fáciles de ignorar y esconder bajo la alfombra. Por muy tentador que esto pueda resultar para la mayoría de la gente, es una mala idea dejar esta tensión sin controlar. También existen los semioctiles, que dividen la carta en partes de la mitad del tamaño de los octiles normales, es decir, 22,5 grados. Este aspecto es aún más raro y menos utilizado que el de los octiles.

Sesquicuadratura

También llamado aspecto *sesquicuadrado* o *trioctil*, este aspecto planetario de nombre peculiar se produce cuando los planetas están situados a 135 grados de distancia entre sí. Se trata de otro de los aspectos conflictivos, ya que los planetas que lo presentan no estarán inclinados a interactuar de forma productiva y constructiva. Como siempre ocurre en este tipo de disposiciones astrológicas, es inevitable que surjan tensiones. Es posible que tenga que hacer frente a otro conflicto, suponiendo que este raro aspecto aparezca en su carta.

Como siempre que se trata de este tipo de aspectos, el conflicto debería resolverse mediante un compromiso. Mientras pueda concentrarse en adoptar lo mejor de ambos planetas, debería ser capaz de equilibrar este aspecto menor. Llegar a buenos términos con el aspecto trioctil es más fácil a través de la honestidad, especialmente la honestidad con uno mismo. Gran parte de la tensión de este aspecto también proviene del hecho de que equivale a un cuadril y medio. Este aspecto puede formar un octagrama en un horóscopo compuesto por dos cuadriles que se imponen uno sobre otro. Por eso algunos astrólogos interpretan el aspecto sesquicuadrado como el «supercuadrado». La intensidad de este aspecto sólo se ve mitigada por su rareza y por ser un aspecto menor.

Los conflictos a los que se asocia el aspecto sesquicuadrado también tienen mucho que ver con el karma. Por eso, a veces se denomina a este aspecto la clave kármica de la carta astral. Los valores conflictivos y la agitación interior en torno a cuestiones morales difíciles son temas comunes. Debido a la naturaleza sutil de los aspectos menores, este conflicto a menudo se desarrolla en el subconsciente, donde puede pasar desapercibido con facilidad. Tomar conciencia de este conflicto le ayudará a reparar esta confusión, que es cómo un sesquicuadrado puede ser utilizado en su beneficio cuando se produce en su carta.

Novil

Los aspectos noviles también se denominan noniles o nonágonos, y se producen cuando los planetas se encuentran a 40 grados de distancia. Este aspecto menor, que a menudo se pasa por alto, tiene una asociación muy específica con el embarazo y todo el proceso de creación, y algunos astrólogos se refieren a él como el aspecto de finalización. Esta influencia puede aplicarse a numerosas áreas de la vida y sus experiencias más allá del embarazo propiamente dicho. El inicio, el nacimiento y el crecimiento de las ideas, por ejemplo, son temas comunes asociados al aspecto novil.

Además, la asociación con el nacimiento también se traslada al tema de la transformación. Un aspecto novil en su carta natal puede señalar el final de algún tipo de fase o proceso en curso que puede haber tenido lugar en su vida durante un tiempo. Por otro lado, también puede simbolizar el comienzo de algo nuevo. En cualquier caso, este sutil aspecto astrológico ejercerá energías que sólo captarán las personas más sensibles. Sin embargo, es un aspecto útil al que vale la pena prestar atención cuando se identifica. Los aspectos noviles también pueden presentarse en forma de binovil y quadranovil si se dan las colocaciones planetarias adecuadas en la carta astral.

Decil y Undecil

Los planetas poseen un aspecto *decil* cuando están separados 36 grados en su carta. El aspecto decil divide la carta en diez partes iguales. En general, el aspecto decil se considera favorable con algunos beneficios, aunque su efecto se ve disminuido por ser un aspecto menor y poco frecuente. Al igual que algunos de los aspectos anteriores, el aspecto decil tiene mucho que ver con todo lo oculto, especialmente con los talentos que yacen latentes en el individuo y que están sin explotar. Mientras que un aspecto como el quintil se asocia con talentos fuertes y ya considerablemente perfeccionados, el decil dinamiza talentos de los que puede ser completamente inconsciente. Es un aspecto de dones ocultos que aún esperan ser cosechados.

También hay trígonos y quindeciles, que separan a los planetas 108 y 24 grados, respectivamente. Algunos astrólogos se refieren al aspecto quindecil como «lo fatal en lo natal», y puede referirse a las obsesiones y a todas las cosas involuntarias y compulsivas. Cuando está presente y se siente, este aspecto puede separar al individuo de la realidad, al menos en lo que respecta a los rasgos y áreas de la vida regidos por los planetas en quindecil en la carta.

El aspecto *undecil* se produce cuando los planetas están separados 32 grados y 44 minutos. Se trata de la undécima parte de la carta, lo que supone una división de la carta mucho menos redondeada que el decil. Como algunos de los otros aspectos que hemos tratado, este aspecto es una adición relativamente reciente a la astrología y no se utilizaba tradicionalmente. Hoy en día, se utiliza sobre todo en la práctica astrológica conocida como *Armónicos*. Aparte del aspecto undecil normal, también existen los aspectos biundecil, triundecil, quadraundecil y quintundecil.

Capítulo 8: Interpretar cartas natales

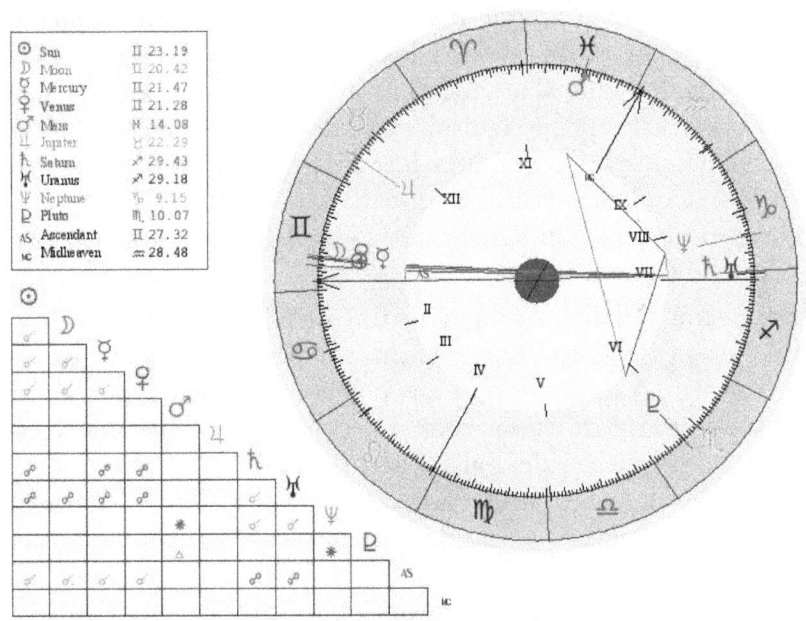

Carta natal simple
No machine-readable author provided. Leopanza~commonswiki assumed (based on copyright claims)., CC BY-SA 3.0 <http://creativecommons.org/licenses/by-sa/3.0/>, via Wikimedia Commons https://commons.wikimedia.org/wiki/File:Birth_chart_example.JPG

Cuando domine los fundamentos de la astrología práctica, lo único que queda es aplicar todos esos conocimientos teóricos a la práctica y empezar a leer sus astros. Como ya hemos dicho, ya sea en línea o en persona, los astrólogos pueden ayudar a confeccionar una carta astral e interpretarla, pero eso no significa que no deba aprender a hacerlo usted mismo. Con varias herramientas en línea a su disposición, hacer su propia carta astral nunca fue tan fácil, así que todo lo que necesita para empezar es saber lo que está mirando.

Como ha visto hasta ahora en este libro, hay mucho que desentrañar a la hora de practicar la astrología. La astrología es una intrincada red de factores entrelazados que se alimentan mutuamente e interactúan de muchas maneras diferentes. Usted y su vida están atrapados justo en medio de esta tormenta de energías que impregnan los cielos. Ya que sabe cómo leer e interpretar los factores astrológicos básicos individualmente, dedicaremos un capítulo a explorar las cartas natales antes mencionadas y cómo puede empezar a leer la suya.

¿Qué es una carta natal?

Ya se habrá dado cuenta de que hemos hecho muchas menciones a las cartas natales, y con razón. Todos los demás conocimientos teóricos conducen inevitablemente al arte de la lectura de cartas. Como ya hemos indicado, la carta astral puede considerarse una representación simbólica de la personalidad, ya que es una instantánea del cielo visible en el momento del nacimiento. Por este motivo, para crear una carta natal no sólo es necesario conocer el día, el mes y el año, sino también el lugar y la hora exacta de su nacimiento.

La carta astral o natal también recibe otros nombres, como carta astrológica, mapa celeste, cosmograma, radix, rueda de cartas o simplemente carta. A menudo verá que el término «horóscopo» se utiliza indistintamente con el de carta natal. Lo más probable es que ya haya visto una o dos cartas natales, al menos de pasada, ya que tienen un aspecto muy distinto. La carta consiste en una rueda o círculo con múltiples capas divididas en varias partes iguales, dependiendo de lo que represente cada capa. Una plantilla de carta típica incluye signos zodiacales, marcas de grados, casas y un círculo central.

La división del plano eclíptico en doce casas puede consistir o no en doce partes iguales de 30 grados cada una, dependiendo del sistema que se utilice. La posición de la primera casa depende de la información en la que se base la carta, pero la cúspide (la línea entre dos casas o signos) de la primera casa siempre comenzará en el ascendente. Esta primera casa determina el resto de las casas, que siguen el sentido contrario a las agujas del reloj alrededor de la rueda. Como ya hemos mencionado de pasada, el ascendente representa el punto exacto que se eleva justo sobre el horizonte oriental en el momento de su nacimiento, por lo que depende claramente de la rotación de la Tierra. Este es un factor increíblemente importante que determina su carta astral y es crucial para interpretarla.

También observará que el círculo central a menudo contiene numerosas líneas que conectan varios puntos del círculo, con muchas líneas descentradas. Las líneas suelen ser de distintos colores porque es necesario diferenciarlas para representar aspectos. Ésta es más o menos una descripción básica de la apariencia de una carta astral, pero puede haber algunas variaciones, dependiendo de la metodología del astrólogo.

Desde el punto de vista histórico, pasó un tiempo desde los primeros días de la astrología antigua hasta que los astrólogos empezaron a utilizar lo que podríamos considerar cartas natales en el sentido contemporáneo. Sin embargo, la práctica de elaborar y leer cartas natales es bastante antigua, aunque no tanto como la propia astrología. Algunas de las primeras cartas natales u horóscopos reconocibles se remontan al año 400 a. C. aproximadamente.

Aparte de las cartas natales normales, muchas cartas astrológicas siguen principios similares y se utilizan para obtener una lectura de otras cosas que puedan interesar a un astrólogo. Un ejemplo es la llamada carta de compatibilidad, cuyo objetivo es mostrar lo bien que se llevaría con los demás. Las cartas de compatibilidad suelen dividirse en cartas de sinastría, que comparan los planetas de dos cartas natales, y cartas compuestas, que mezclan dos cartas dadas en una, centrándose en el potencial de relación entre ambas.

Otro ejemplo de carta astrológica es la carta solar, que es una carta anual que analiza el periodo entre dos cumpleaños. También hay cartas astrológicas que se centran exclusivamente en ayudarle a planificar eventos. Una carta de eventos es simplemente una carta basada en la fecha, hora y lugar del evento. Recuerde que las cartas natales también son cartas de eventos, ya que el evento en cuestión es el nacimiento de una persona, por lo que la metodología también puede aplicarse a la mayoría de los acontecimientos. Si tiene una entrevista importante próximamente o está pensando en cuándo debería programar una gran celebración de algún tipo, leer una carta astral puede ayudar para hacerse una idea de las circunstancias astrológicas y la fortuna general que se puede esperar.

Las cartas astrológicas también han experimentado variaciones entre las distintas culturas. Aparte de la astrología occidental, las prácticas astrológicas védica y china también han producido cartas y métodos similares para realizar lecturas astrológicas. Algunos cálculos y principios subyacentes difieren de los occidentales, pero el objetivo general sigue siendo el mismo. Una de las diferencias más destacadas en China es el zodíaco chino, con su sistema bastante famoso de animales, elementos y años.

Leer lo que está escrito

A lo largo de nuestros capítulos anteriores, ha aprendido gran parte de los conocimientos fundamentales que necesita para leer una carta natal. Comprender todos esos factores en juego le permitirá recorrer más de la mitad del camino para convertirse en un lector de cartas natales, pero aún tendrá que aprender algunas cosas más. Una vez resuelto el aspecto teórico, lo siguiente es familiarizarse con los aspectos visuales de una carta natal.

Cuando observe una carta astral, verá que se trata básicamente de un círculo lleno de todo tipo de símbolos, líneas y otras representaciones visuales de los factores astrológicos que intervienen. Estos símbolos son el lenguaje escrito de la astrología, y tendrá que aprender a manejarlos si quiere leer cartas, pero no costará demasiado esfuerzo. Los símbolos ayudarán a leer, y los conocimientos teóricos que hemos tratado hasta ahora ayudarán a interpretar, y eso es más o menos a lo que se reduce la lectura de la carta astral.

El primer paso práctico para leer su carta astral es hacer una. Esto es muy fácil de hacer hoy en día, gracias a los recursos en línea que harán automáticamente una carta para usted con base en la información introducida. Una simple búsqueda en Internet revelará muchos sitios web que ofrecen esta herramienta. Basta con introducir la hora, la fecha y el lugar de nacimiento, y el algoritmo hará el resto por usted. En caso de que no sepa o no pueda averiguar la hora exacta de su nacimiento, la mayoría de los algoritmos le pedirán que nombre el mediodía como hora de nacimiento. Esto hará que la carta sea algo menos precisa, pero aun así tendrá material más que de sobra para analizar.

Si usted es principiante, es una buena idea que haga una hoja o leyenda de símbolos astrológicos para tenerla a mano, porque lleva un poco de práctica y tiempo hasta que domine el lenguaje escrito de la astrología. Cuando saque su carta astral, es hora de aplicar lo que ha aprendido sobre los rasgos y las energías de los planetas, los signos zodiacales, las casas astrológicas y los aspectos, que serán más que suficientes para una lectura básica pero sólida.

Al leer los símbolos, una de las primeras cosas que notará es que los planetas ocupan puntos específicos de la rueda en un orden muy singular y desigual a lo largo de los doce signos. Ésta es la esencia de su carta y explicará gran parte de la información que leerá. Lo primero que debe tener en cuenta es su propio signo solar, que probablemente conozca de toda la vida. Tome nota de qué planetas están dentro de ese signo o cerca de él, y entonces podrá empezar a interpretar las influencias en juego.

Recuerde que muchos de los algoritmos y herramientas de Internet también proporcionarán sus propias interpretaciones de su carta astral. Sin embargo, es posible que no quiera confiar en estas lecturas automatizadas porque su alcance es limitado y la información suele ser muy simplista, a menudo carente de contexto. Si sólo recibe una lista robótica de rasgos, predicciones y suposiciones sin una narración cohesionada y coherente, podría llegar sin fundamento a algunas conclusiones negativas o desmoralizadoras. Lo mejor que puede hacer es utilizar sus propios conocimientos y mejorar en la interpretación a través de la práctica o hablando con un astrólogo profesional.

Más allá de su signo solar, fíjese bien en todas las demás colocaciones planetarias y utilice este libro como referencia para determinar qué significan esas colocaciones. Recuerde que, aunque vea ciertas colocaciones poco favorables, sigue habiendo aspectos, casas astrológicas y otros factores que a menudo mitigan los efectos negativos o crean sinergias únicas de influencias que podría pasar por alto si se centra en sus colocaciones. Al analizar las colocaciones, también es importante recordar el planeta regente de su signo para ver cómo le va en su carta.

Una buena forma de leer una carta es tener unos cuantos objetivos o áreas de interés clave, como el amor o el trabajo. Por ejemplo, si quiere saber qué perspectivas tienes en la vida en cuanto al amor y las relaciones, preste especial atención a los planetas intensos y las casas asociadas a estos temas. Cuando sepa lo que está buscando, la lectura de la carta será más sencilla y centrada, lo que ayudará a no perderse en detalles que no importan demasiado.

Preste atención a fenómenos poco frecuentes, como los stelliums, que ya hemos mencionado brevemente al hablar de los aspectos. Tres o más planetas en un mismo signo son una poderosa fuente de energía, para bien o para mal. También debe prestar atención al equilibrio de elementos y modalidades en su carta. Todas estas cosas son exclusivas de su carta y están sujetas a tantas variaciones que es imposible predecir lo que encontrará cuando profundice en ella. La mejor manera de convertirse en un experto lector de cartas es empezar. Haga una carta en línea, abra este libro, tómese un café y dedique tiempo a estudiar este intrincado rompecabezas.

Consejos adicionales

A veces, leer la carta astral puede ser especialmente útil, sobre todo a principios de año y el día de su cumpleaños. El comienzo de un nuevo año es el momento perfecto para hacer una carta de tránsitos y ver qué nos deparan los planetas. Los tránsitos planetarios se tratarán con más detalle en el próximo capítulo, pero basta decir que las cartas de tránsitos son probablemente la herramienta astrológica más valiosa para predecir el futuro. El análisis de los tránsitos suele incluir comparaciones con la carta natal.

Esto se suele hacer añadiendo una capa más de círculo exterior a la carta natal, que contendrá los símbolos planetarios que indican dónde se encuentran los planetas en ese día concreto. De este modo, los astrólogos pueden comparar fácilmente las posiciones entre ese día y las posiciones fijas de los planetas en su carta natal. Se trata de lecturas astrológicas bastante avanzadas, por lo que es normal que una carta tan compleja le abrume al principio en vez de orientarle.

Suponiendo que sea principiante en la lectura de cartas astrales, es posible que quiera empezar siguiendo un cierto orden al mirar su carta. Después de mirar su signo solar, puede ver qué ocurre con sus signos lunar y ascendente. Simplemente busque el símbolo de la luna en su carta natal generada y anote qué signo ocupa. En cuanto al ascendente, tenga en cuenta que sólo podrá determinarlo con precisión si ha introducido su hora exacta de nacimiento en el cálculo de la carta. Mire dónde empieza la primera casa de su carta para determinar su signo ascendente.

Una buena forma de practicar y mejorar en la lectura de cartas natales es hacer la carta de otra persona, sobre todo de alguien a quien conozca muy bien. A la mayoría de la gente le cuesta ser objetiva e imparcial sobre sí misma, sus rasgos, personalidad, defectos y virtudes, por lo que al principio puede resultar un poco difícil ver todas esas sutiles conexiones entre su vida y sus influencias astrológicas. Para algunas personas, lo mejor es empezar haciendo su primera carta astral sobre un amigo íntimo o un familiar como introducción a la práctica. Cuando aprenda el truco, se sorprenderá de la cantidad de coincidencias que hay entre lo que aparece en la carta y lo que ha visto en su vida.

Por último, pero no por ello menos importante, vale la pena señalar ciertos patrones que hay que buscar al analizar las cartas natales. Este tipo de cosas le resultarán más naturales después de algo de práctica, pero hay formas de acelerar su aclimatación. Un método que puede aplicar es el análisis de hemisferios, que se reduce a dividir la rueda de la carta por la mitad horizontal y verticalmente y contar el número de planetas a cada lado de la línea. Otro método es el análisis de patrones, que se centra en la distribución de los planetas en la rueda.

Estos dos métodos de lectura de cartas se apartan de la interpretación tradicional porque se centran únicamente en el patrón de los planetas en la carta como fuente de información, en lugar de interpretar los rasgos, las energías, los aspectos y todo lo demás. Por ejemplo, si un análisis hemisférico le muestra que hay siete planetas por encima de la línea horizontal, esto indica que usted es probablemente una persona extrovertida. En el caso contrario, probablemente sea introvertido. A la inversa, el número de planetas a cada lado de la línea vertical mide la prevalencia de la dependencia o la independencia en su personalidad.

Esto es sólo un breve resumen de otra forma de ver las cartas natales. Dado que el análisis de patrones evita en gran medida la interpretación detallada basada en los conocimientos teóricos que hemos tratado, merece la pena que le eche un vistazo si usted es principiante. La simplicidad implica menos precisión, así que tenga en cuenta que será necesaria una interpretación detallada para obtener lecturas más precisas.

Capítulo 9: Tránsitos planetarios

Los tránsitos planetarios son un aspecto de la astrología práctica que se pasa por alto. Mientras que las cartas natales se centran principalmente en los rasgos personales y ayudan a aprender cosas sobre uno mismo y a reflexionar, los tránsitos planetarios son una de las herramientas que se utilizan para intentar comprender el futuro. Por supuesto, el futuro es algo voluble, por lo que es difícil hablar de él sin entrar en conjeturas. Los tránsitos planetarios son útiles porque proporcionan una apariencia de algo concreto que puede analizarse y leerse para llegar a ciertas conclusiones en esta parte de la astrología que, de otro modo, sería misteriosa.

Aunque el término «tránsito planetario» parece implicar un tema generalizado relativo al movimiento de los cuerpos celestes, en realidad se refiere a algo más específico. En los términos más sencillos, un tránsito planetario es un movimiento que realiza un planeta a través de sus planetas natales, que son las posiciones de los planetas en su carta natal. Por ejemplo, considere una carta natal que muestre a Marte en Aries en el momento de su nacimiento. Se produce un tránsito en el tiempo presente si un planeta se encuentra atravesando Aries y se alinea con el punto que Marte ocupaba en ese signo en el momento de su nacimiento. Para que el tránsito tenga sentido, la alineación debe estar a un máximo de 10 grados. Cuando esto ocurre, el planeta en cuestión está «transitando a través de su Marte natal», como llamarían los astrólogos a este proceso. Otra forma de ver los tránsitos sería como aspectos entre un planeta en tránsito y una posición planetaria en su carta. Los aspectos en tránsito se definen por no más de un par de grados de desviación a cada lado de su planeta natal.

La lectura de los tránsitos es diferente de la lectura de la carta natal, ya que ésta se parece a una simple instantánea del cielo en el momento en que nació. Como ha visto, su carta natal es un análisis personal que puede ayudar a comprender mejor sus puntos fuertes, sus debilidades, sus sentimientos y su mentalidad. Con los tránsitos, verá hacia dónde se dirigen los planetas, no sólo dónde estaban situados en un momento dado. Dado que los tránsitos son sucesos que van y vienen, a menudo nos influyen de formas nuevas e inesperadas. Algunas formas comunes en que se manifiestan estos efectos incluyen cambios sustanciales de humor o sentimientos y otros cambios similares que llegan de repente. Estas cosas ocurren porque los planetas que están transitando por su planeta natal traen energías a las que no está acostumbrado.

Como suele ocurrir cuando las influencias astrológicas se encuentran e interactúan, los tránsitos suelen parecerse a una convergencia de energías que se mezclan para producir determinados resultados. Piense en cómo podría afectarle un planeta de la comunicación como Mercurio si transita por su Venus natal. Puesto que Venus es un planeta del amor y Mercurio rige la comunicación y la expresión, es posible que se encuentre más dispuesto y cómodo para expresar su amor a las personas importantes de su vida, como la familia o los amigos. Si Marte atraviesa Mercurio natal, por ejemplo, puede que se encuentre más agresivo y abierto a la hora de comunicarse, para bien o para mal.

Estos son sólo dos ejemplos de los efectos más específicos que pueden producir los tránsitos, pero no siempre se manifiestan. A veces, estas energías llegarán a su vida como un cambio más sutil y general en temas como los sentimientos, la actitud o el estado de ánimo. Esta influencia puede afectar a su vida diaria, pero la intensidad de los efectos variará en función de muchos factores. Los tránsitos que ocurren a través de su Sol o Luna natales tienden a producir estos efectos generales más amplios, mientras que otros planetas mostrarán normalmente más carácter según sus rasgos. El regente planetario de su signo zodiacal también influirá.

Además de influir en su mundo interior, las energías procedentes de los tránsitos planetarios también cambiarán la forma en que irradia sus energías y cómo se relaciona con el mundo. Por ejemplo, podría producirse un cambio en el tipo de personas que atrae y con las que se cruza. La atracción también va más allá de las personas, lo que significa que los tránsitos planetarios pueden afectar al tipo de suerte y fortuna que atrae. En general, si quiere entender mejor cómo afectan los planetas más allá de lo básico, debería leer los tránsitos. Los movimientos próximos de todos los cuerpos celestes de nuestro cielo pueden predecirse astronómicamente, por lo que siempre hay mucho que aprender sobre lo que está por venir.

Los tránsitos planetarios se clasifican generalmente en categorías exteriores e interiores, definidas por la distancia de los planetas de nuestro sistema solar al Sol. En este capítulo examinaremos más de cerca estas dos categorías y algunas de las características de cómo se comporta e interactúa cada uno de los planetas principales cuando transitan por signos y casas.

Tránsitos exteriores

Los planetas exteriores suelen ser los primeros que analizan los astrólogos cuando realizan una lectura de sus tránsitos planetarios. Como recordará de lo que hablamos antes sobre los planetas individuales y sus características, algunos planetas tardan mucho tiempo en atravesar el zodíaco. Esto se debe a que los planetas lejanos tienen un viaje mucho más largo alrededor del sol. Así, algunos de los planetas más lejanos, como Neptuno y Plutón, tardarán siglos en realizar tránsitos, lo que da lugar a acontecimientos astrológicos muy poco frecuentes.

Debido a que los planetas exteriores tardan más en realizar sus tránsitos, los astrólogos tienden a centrarse principalmente en ellos cuando intentan obtener una lectura del porvenir. Esto se debe a que estos planetas dejan tiempo suficiente para planificar y pensar con antelación. Los planetas cuyos tránsitos pertenecen a la categoría exterior son Júpiter, Saturno, Urano, Neptuno y Plutón.

Júpiter

Júpiter en tránsito es una influencia poderosa, especialmente en lo que se refiere a la energía de expansión y ampliación. El tránsito de Júpiter dura meses, por lo que tiene el potencial de afectar un periodo considerable de su vida y ayudar a conseguir muchas cosas. Este tránsito es también un tiempo de oportunidades, especialmente en aquellas áreas de su vida afectadas por el planeta natal por el que Júpiter está transitando. Este tránsito tiende a traer mucha buena suerte, especialmente en todo lo relacionado con los negocios y su vida profesional en general. El tránsito de Júpiter puede ser un momento de todo tipo de novedades. Dependiendo de los aspectos, este tránsito también puede traer algunas influencias negativas, llevando a errores de juicio, pérdida de control o una racha de mala suerte.

Saturno

Por otro lado, el tránsito de Saturno puede acarrear muchos problemas a las personas. La intensidad de los efectos del tránsito de Saturno variará en función del planeta que atraviese. Sin embargo, algunos de los temas comunes que se pueden esperar incluyen restricciones, disminución de los niveles de energía, cambios de humor, posibles problemas de salud, falta de comunicación, pérdidas de todo tipo y mala suerte en general. Dado que este tránsito afecta a la comunicación, es posible que también experimente algunos reveses en su posición social y en cuanto al respeto. No obstante, el tránsito de Saturno le brindará algunas oportunidades para relajarse, consolidarse, mejorar y planificar a largo plazo. Paciencia y moderación son las palabras clave durante este tránsito y, si lo hace bien, no supondrá más que una ralentización temporal de su vida. Y si lo intenta, puede que incluso acabe siendo beneficioso para usted, gracias a las lecciones aprendidas y a los preparativos realizados antes de que vuelva a ponerse al día después del tránsito.

Urano

El tránsito de Urano puede ser dramático a veces. Este planeta tiende a provocar una gran conmoción cuando está en tránsito, lo que lleva a cambios importantes. Esto puede ser bueno o malo, dependiendo del planeta natal y de cómo gestione este periodo. Es una oportunidad para hacer grandes cambios en la vida y empezar a ir en direcciones completamente nuevas. Del mismo modo que puede causar trastornos en su vida, también puede afectar su mente y carácter, haciéndole sentir rebelde o inusualmente creativo e inspirado. Es una época de ideas poco convencionales y originalidad para usted, ya que el tránsito aviva el fuego de su individualidad y sentido de la libertad.

Neptuno

Neptuno puede traer un poco de misterio y confusión, haciendo de su tránsito un periodo de circunstancias poco claras, extrañas y francamente peculiares. Esto no es necesariamente malo, ya que la energía peculiar de este tránsito también fomenta su creatividad e inspiración. Cuando Neptuno forma un aspecto con un planeta natal o una casa astrológica de su carta, tiende a hacer que sus ideas y sentimientos asociados sean menos claros. Esto puede hacerle propenso al pensamiento ideológico, que puede ser positivo o negativo, según el contexto. El tránsito de Neptuno también tiene implicaciones espirituales considerables, por lo que es un buen momento para centrarse en el aspecto espiritual o religioso de su vida. Por ello, este tránsito puede ser muy beneficioso, siempre y cuando no se desvíe hacia el escapismo o el exceso de pensamiento hasta el punto del delirio. También es el momento de tener cuidado con las adicciones y el abuso de sustancias.

Plutón

Como probablemente pueda predecir por lo que ha aprendido antes sobre los planetas, el tránsito de Plutón suele ser un momento de cambios y transformaciones masivas, con implicaciones personales y generales. Es el momento en que terminan viejas historias y comienzan otras nuevas, normalmente después de haberse desarrollado sutilmente bajo la superficie durante algún tiempo antes de ese momento. La energía transformadora de Plutón también afectará los temas, ideas y rasgos del planeta natal o de la casa con la que el tránsito forme aspecto. El tránsito de Plutón también tiene el potencial de reavivar las llamas de viejos problemas que quizá creía enterrados, obligándole a lidiar con el bagaje del pasado.

Tránsitos internos

La mayoría de los astrólogos dan menos importancia a los tránsitos internos que a los exteriores, y la razón principal es que los tránsitos interiores pasan muy deprisa. Su rápido paso les da una ventana muy limitada para ejercer energías e influencias transitorias, lo que restringe severamente su poder en este sentido. No obstante, los tránsitos de cada uno de estos planetas tienen ciertas características y efectos, que los astrólogos más comprometidos tendrán en cuenta ocasionalmente. Los planetas internos son el Sol, la Luna, Mercurio, Venus y Marte.

El sol

El tránsito solar es relativamente corto y ejerce su máxima influencia durante unos dos días. Este tránsito puede tener diversos efectos según el planeta natal, el signo o la casa por la que transite el Sol. En general, la salud física y mental son áreas muy comunes que afecta el Sol. Como sabe, el Sol es un planeta muy energético y radiante en astrología, por lo que su tránsito también tiene el potencial de hacerle más activo, extrovertido, expresivo y creativo. El Sol en tránsito también puede afectar su fuerza de voluntad, normalmente de forma beneficiosa, pero esto dependerá del aspecto.

La luna

La luna tiene un tránsito muy rápido, que suele durar sólo unas horas. Los efectos de la luna sobre las personas han sido objeto de especulaciones y teorías durante mucho tiempo, y los tránsitos astrológicos forman parte de ese panorama. Cuando la Luna está en tránsito, influirá sobre todo en su estado de ánimo y emocional, como ya sugieren sus rasgos planetarios. Sin embargo, la energía irradiada por la Luna en tránsito no suele ser muy intensa, por lo que sus efectos pueden ser bastante sutiles y subconscientes. Por lo general, el efecto se verá modificado por el planeta natal, la casa o el signo en cuestión. Los planetas que afectan a las emociones, como Neptuno, pueden producir resultados notables cuando se combinan con la Luna.

Mercurio

Al ser el planeta más cercano al Sol, Mercurio atraviesa el zodíaco con bastante rapidez, y su tránsito máximo suele durar como mucho un par de días. Los efectos del tránsito de Mercurio coinciden sobre todo con los rasgos del planeta, en particular su gobierno sobre la comunicación. Es un buen momento para comunicarse con la gente, mantener conversaciones importantes, escribir a sus amigos o reavivar viejas amistades con una visita repentina. Dependiendo de los aspectos que forme Mercurio en tránsito, puede afectar a su forma de pensar para bien o para mal. El tránsito de Mercurio también puede ser una buena oportunidad para realizar un pequeño viaje o algún pequeño cambio positivo en la vida.

Venus

El tránsito de Venus dura más o menos lo mismo que el de Mercurio, con un máximo de un par de días. Los temas del amor y la belleza de Venus son factores significativos en este tránsito, lo que significa que puede ser un momento de fuertes sentimientos, especialmente buenos. Dado que expresamos el amor de varias maneras, entre ellas compartiendo cosas materiales, el tránsito de Venus puede traer consigo regalos y obsequios. Esos dos días pueden ser especialmente propicios para el romance si Venus transita por Urano natal. Venus transitando a través de su Sol o Luna puede significar que es un buen momento para embellecer su vida de alguna manera. Dado que el Sol es expresivo y extrovertido, esto puede significar comprar ropa nueva o mejorar su estilo. Por otro lado, la luna introspectiva puede seguir el tránsito de Venus y motivarle a embellecer sus mundos internos, por ejemplo, mejorando su decoración interior o sus muebles.

Marte

La fuerza, la iniciativa y el coraje de la energía de Marte suelen actuar como combustible para cualquier planeta, casa o signo natal por el que Marte esté transitando. En efecto, Marte se abalanzará y energizará los rasgos de estos factores astrológicos. El tránsito de Marte es también un momento en el que la mayoría de la gente se sentirá más fuerte y con más energía, en general. No obstante, la propia naturaleza de Marte exige precaución durante el tránsito del planeta, ya que los ánimos pueden exaltarse en algunos casos. Este riesgo es especialmente alto cuando Marte transita por la Luna natal, lo que puede provocar días de mal humor.

Retornos planetarios

Los retornos planetarios son un factor importante a tener en cuenta cuando se leen los tránsitos planetarios. En términos sencillos, un retorno planetario se produce cuando un planeta que atraviesa el zodíaco regresa al punto exacto en el que se encontraba en el momento en que una persona nació. Este retorno marca el final de un ciclo importante y está fuertemente asociado con nuevos comienzos y grandes empresas en la vida.

Entre los planetas, Júpiter y Saturno son los dos planetas cuyos retornos se consideran más importantes, con Urano en un cercano tercer lugar en términos de importancia. También es importante señalar que el retorno de Urano tarda 84 años. Por lo tanto, los astrólogos también dan importancia al medio retorno de este planeta, ya que muchas personas no llegan a vivir 84 años y, por lo tanto, es poco probable que experimenten el retorno completo.

Júpiter tarda unos doce años en regresar por completo, lo que marca un importante hito astrológico. El retorno de Júpiter anuncia el comienzo de algo nuevo, como la siguiente fase de un proceso en curso desde hace mucho tiempo. Señala el comienzo de un nuevo crecimiento y desarrollo en el sentido más amplio. Supongamos que dividimos una vida humana según este ciclo. En ese caso, podemos ver que corresponde a algunos hitos importantes, como el comienzo de la adolescencia temprana, en torno a los 12 años, y la verdadera edad adulta, en torno a los 24 años. Júpiter es el planeta de la buena suerte. Entre otras cosas, el año de su regreso suele ser un año de buena suerte en general. Cuando el planeta regresa, es un buen momento para tomar la iniciativa y avanzar hacia sus objetivos, ya que la probabilidad de obtener una recompensa será alta.

Saturno tarda unos 30 años en regresar. El retorno de Saturno se asocia al envejecimiento y a la aceptación de responsabilidades y cambios. El ciclo del retorno de Saturno corresponde aproximadamente a la etapa de la vida en la que muchas personas asumen responsabilidades serias y se comprometen para toda la vida. Sin embargo, el retorno de Saturno también está asociado a las nuevas realidades y a nuestra capacidad para aceptarlas. Esta influencia puede llevar a algunas personas a reconsiderar sus compromisos anteriores. En general, es cuando uno puede decidir tomar una nueva dirección en la vida.

Los 84 años que necesita Urano para regresar son largos, pero esto no es un problema para usted porque el ecuador de ese proceso se considera muy influyente. Cuarenta y dos años después del inicio de un nuevo ciclo, Urano ejerce una influencia que a veces puede manifestarse como dudas sobre sí mismo y desconfianza, por lo que se asocia al fenómeno conocido como crisis de los cuarenta. Esto puede tensar las relaciones a largo plazo, por lo que es importante cuidar los vínculos durante esta época. A pesar del estrés que trae consigo el medio retorno de Urano, sigue siendo una energía fuerte que puede refrescar y revitalizar y lanzarlo a la acción. Por eso, muchas personas de mediana edad adoptan nuevas aficiones y desarrollan nuevos intereses. Para quienes viven hasta los 84 años con buena salud, el pleno retorno de Urano se manifiesta a menudo como una renovada pasión por la vida.

Recuerde que esto ha sido sólo un rápido repaso de lo que son los tránsitos planetarios y cómo pueden afectarle. Los tránsitos y los retornos son temas importantes en la astrología práctica, y hay mucho más que desentrañar si quiere convertirse en un experto en la materia. Aun así, con esta visión general básica, debería ser capaz de comprender los fundamentos de cualquier tránsito próximo que pueda afectarle.

Capítulo 10: Progresiones planetarias

Las progresiones astrológicas o planetarias constituyen otro medio más de predecir acontecimientos y procesos astrológicos que pueden producirse en el futuro. Al igual que los tránsitos, se trata de una de las herramientas más importantes de que dispone la astrología para las predicciones de horóscopo. En los términos más sencillos, una progresión astrológica es un movimiento o «progresión» de su horóscopo desde el nacimiento en adelante con base en su carta natal. En cierto modo, las progresiones astrológicas describen los cambios astrológicos que pueden producirse en su vida a medida que envejece, dando cuenta de sus cambios de perspectiva, valores, comportamiento, etc.

En esencia, la progresión astrológica señala el curso que tomará la vida de una persona. Las progresiones se leen a partir de la carta natal, observando lo que los astrólogos suelen denominar carta natal progresada. Una carta natal progresada se basa en la misma información que una carta típica, más la fecha actual. Como tal, la carta natal progresada mostrará cómo y dónde se han movido los planetas de su carta natal desde aquellas colocaciones en su nacimiento. Teniendo en cuenta que cada signo ocupa 30 grados en la rueda zodiacal, podemos utilizar la velocidad a la que un planeta se desplaza por el zodíaco para determinar si ha salido de su signo natal y cuánto ha avanzado según su edad actual.

Al igual que las cartas natales normales, las cartas progresadas pueden calcularse fácilmente con herramientas en línea. La carta progresada se ve mejor como una especie de carta natal secundaria o auxiliar que arroja algunos detalles adicionales sobre su personalidad y su vida, sobre todo en lo que se refiere a cómo puede haber cambiado durante su estancia en este planeta. Los astrólogos también pueden hacer ciertas predicciones sobre el resto de su viaje basándose en ella. Mirar una carta progresada puede llevar a descubrimientos sorprendentes y a algunos momentos «eureka» interesantes. Es frecuente que las personas consulten su carta progresada y descubran que describe perfectamente cómo han cambiado a lo largo de los años. Estos cambios a menudo no son grandes ni dramáticos, pero reflejan cómo ha progresado su vida, especialmente en lo que se refiere a las cosas internas.

Las progresiones astrológicas se dividen generalmente en progresiones secundarias y dirección del arco solar. Este capítulo explicará estos dos tipos de progresión y sus fundamentos. En ambos casos, el astrólogo que observa una carta de progresión leerá los cambios relativos a las casas astrológicas y los signos zodiacales en comparación con la carta natal y los aspectos que los planetas de la carta progresada han formado con los planetas de la carta natal.

Progresión secundaria

Las progresiones astrológicas secundarias también se denominan progresiones «de un día para un año». Algunos astrólogos también las llaman progresiones mayores o direcciones secundarias. Como sugiere su nombre alternativo, las progresiones secundarias giran en torno a adelantar un día la carta natal por cada año de vida. Se trata de un ajuste de la carta natal en un día por cada uno de los años que interesa analizar. Por ejemplo, si tiene 40 años y quiere ver la progresión secundaria de su carta natal en esos 40 años, añadirá 40 días a su cumpleaños y luego hará una carta natal para esa fecha ajustada. Utilizando la misma fórmula, puede ver la progresión de cualquier otro momento de su vida para ver cómo han cambiado las circunstancias de su carta cuando tenía 20 o 30 años, por ejemplo.

Siguiendo la misma lógica, puede echar un vistazo a su futuro yo y ver cómo le tratarán las colocaciones planetarias en cualquier punto por venir, suponiendo que viva para ver ese día. El simbolismo de los primeros días consecutivos a su nacimiento son el momento más formativo y decisivo en el que el universo está trabajando duro para dar forma a su yo emergente. En todo el campo de la astrología, la mayoría de los astrólogos coinciden en que las progresiones secundarias son el tipo de progresión más importante que se analiza en astrología.

Cuando los astrólogos analizan las progresiones para hacer predicciones sobre el futuro, utilizan una combinación de progresiones y tránsitos de los planetas progresados para obtener las lecturas más precisas en relación con acontecimientos específicos e importantes. En términos de influencia, la diferencia fundamental entre los tránsitos y las progresiones es que los tránsitos son influencias nuevas, de energía externa, que el universo lanza. Por el contrario, las progresiones son algo ya innato y fundamental en su horóscopo y cartas. Las progresiones se asocian a cambios que ocurren en nuestro interior; sólo después de que esto suceda, estos cambios se manifiestan en el mundo exterior. Las progresiones ilustran cambios importantes y graduales que se producen bajo la superficie durante toda la vida, cambios que inevitablemente se traducen en cambios en el mundo real.

Los tránsitos suelen considerarse el método principal de la astrología predictiva, y las progresiones secundarias los complementan. Otra cosa que hay que recordar es que la fórmula día-por-año también se traduce como una diferencia en la velocidad de movimiento entre los planetas en tránsito y los planetas progresados. Por cada día que un planeta tarda en transitar por los signos, el mismo planeta, pero progresado tardará un año.

Como puede ver, las progresiones secundarias se reducen a una comparación entre su carta natal y su carta progresada. La lectura de esta comparación gira en torno a la búsqueda de algunas cosas concretas. Si descubre que un planeta progresado ha cambiado de signo o de casa astrológica, será un cambio importante a tener en cuenta. También está la cuestión de los movimientos retrógrados, que exploraremos con más detalle próximamente.

Interpretación, dirección del arco solar y aspectos

En muchos sentidos, la esencia de las progresiones es comprender mejor el desarrollo de una persona a lo largo del tiempo, en particular el desarrollo psicológico, según la influencia de la astrología. Es importante recordar que la carta natal dicta ciertas cosas que no cambiarán con la progresión. Por ejemplo, los aspectos difíciles y tensos entre dos planetas de la carta natal pueden seguir ejerciendo influencia, aunque la versión progresada de uno de los planetas forme un aspecto nuevo y positivo con la versión natal del otro planeta. Lo mismo ocurre con los planetas progresados que forman nuevos aspectos donde antes no había ninguno en la carta natal.

Lo que todo esto significa es que el patrón de su carta natal original es algo que permanece con usted. Es la base de su personalidad y de su relación con las fuerzas astrológicas de este universo, y todas las influencias que lleguen más adelante -incluidas las progresiones- tendrán que adaptarse de alguna manera. Los tránsitos y progresiones a los que se exponga cumplirán algún tipo de función facilitadora, como por ejemplo ayudar a desbloquear parte del potencial que se encuentra en el patrón de su carta natal o en su «ADN zodiacal», como a veces se le llama.

También hay que decir que la mayoría de los astrólogos dan importancia a las progresiones sólo en lo que respecta a los planetas internos. Como ha aprendido antes, los planetas exteriores se mueven muy lentamente, por lo que su movimiento en una carta progresada será casi insignificante. Sin embargo, los astrólogos suelen tener en cuenta los aspectos que se forman con esos planetas exteriores. Cuando están progresados, los planetas internos tienen algunas características que hacen que sus progresiones sean únicas. Los aspectos que estos planetas progresados forman con los planetas de su carta natal son uno de los principales puntos de interés para los astrólogos.

El Sol progresado, por ejemplo, puede ser muy importante de analizar. Si descubre que el Sol ha cambiado de signo zodiacal, esta progresión puede decir mucho sobre cómo ha envejecido. Por supuesto, lo que debe tener en cuenta son los rasgos y características de los signos en cuestión. Supongamos que su Sol natal se encontraba en uno de los signos más introvertidos, como Escorpio, pero que en su carta de progresión cambió a Sagitario, más extrovertido. En ese caso, esta progresión puede dar algunas respuestas sobre cómo ha pasado de ser tímido a ser más extrovertido. El mismo principio se aplica a cualquier cambio potencial en la casa de su Sol. Recuerde que las nuevas posiciones y aspectos son sólo una evolución sutil y que su Sol natal no ha cambiado. La esencia central de lo que usted es como persona sigue ahí, pero su carta progresada mostrará cómo ha evolucionado y crecido a partir de esa base.

Por otro lado, la progresión de la Luna facilita una evolución en lo que respecta a las emociones, el comportamiento y algunas otras cosas que, en su mayoría, tienen que ver con la maduración. Su luna progresada será especialmente importante cuando forme una conjunción con su sol natal o progresado, lo que se conoce como luna nueva progresada. Este acontecimiento suele anunciar el comienzo de un nuevo ciclo emocional en su vida. En cuanto a las progresiones secundarias, la Luna es uno de los planetas más importantes por su rapidez de movimiento.

Mercurio anuncia cambios y adaptaciones muy necesarios en su vida entre los tres planetas internos restantes. Predice periodos de creciente destreza intelectual y pensamiento y una propensión a la literatura. Los viajes también están asociados a la progresión de Mercurio. Por otro lado, Venus pertenece a sus dominios habituales que implican emociones, creatividad y belleza. Cuando está en progresión, Venus se asocia a hitos emocionales importantes como el matrimonio y los nuevos comienzos románticos. Por otro lado, también puede significar el final de una relación en curso. También es posible que se produzcan importantes esfuerzos creativos, ganancias monetarias y partos. Marte progresado también ejerce una influencia acorde con los temas habituales del planeta, iniciando un periodo en el que estará lleno de energía para aumentar la actividad, la iniciativa, el espíritu empresarial o el conflicto. Es un momento en el que la moderación y el control de los impulsos serán muy importantes, ya que será más propenso a los accidentes, las peleas y la pérdida de control.

Además de los planetas, algunos astrólogos también se fijan en la progresión de algo llamado ángulos, en particular el signo ascendente (ángulo este) y el medio cielo (ángulo norte). Éstos sólo se utilizan cuando se trabaja con la información más precisa sobre su nacimiento, especialmente la hora exacta. Los aspectos formados por el ascendente y el medio cielo afectarán a las ambiciones, la salud, los intereses personales o todo lo relacionado con la vida profesional y las carreras.

Como ya se ha mencionado, muchos astrólogos utilizan otro tipo de progresión: la dirección o progresión del arco solar. Este tipo de progresión también se conoce como progresión «grado por año». Con este método, los astrólogos adelantan la carta natal completa un grado por cada año. La fórmula funciona de forma similar a las progresiones secundarias, sólo que con grados en la rueda de la carta. Se trata de adelantar los planetas de la carta natal para ajustarlos a la edad que le interese. El método se denomina dirección del arco solar porque la velocidad del sol es de aproximadamente un grado diario. Otros planetas se mueven a diferentes velocidades, pero todos se mueven de la misma manera que el sol cuando se crea una carta de progresión de arco solar. La dirección del arco solar no se utiliza con tanta frecuencia como las progresiones secundarias, y cuando se utiliza, suele servir como carta complementaria y secundaria.

Algunos astrólogos utilizan otros métodos de progresión, como las progresiones menor, terciaria, conversa, simbólica y ascendente. La principal diferencia entre todos estos métodos es la fórmula con la que se calcula y crea la carta progresada, pero las interpretaciones finales de dichas progresiones seguirán los mismos principios que los métodos que acabamos de tratar.

El concepto del movimiento retrógrado

Aparte de las progresiones, otro concepto relacionado que resulta muy útil en astrología práctica es el llamado movimiento retrógrado de los planetas. El movimiento retrógrado de un planeta ocurre cuando se produce la aparición de movimiento hacia atrás por parte del planeta, observado desde nuestro propio punto de vista. Esto ocurre cuando la Tierra pasa junto a un planeta exterior que se mueve más lentamente o cuando uno de los planetas internos se mueve más rápido que la Tierra y pasa junto a nosotros. Los movimientos retrógrados son bastante frecuentes en los planetas exteriores, ya que se encuentran en este estado más del 40% del tiempo.

Los movimientos retrógrados se consideran generalmente desfavorables en astrología porque son un movimiento en dirección opuesta a lo que la astrología considera natural. Esto produce diversos efectos en cómo actúan estos planetas y qué tipo de energía irradiarán, modificando a menudo sus rasgos e influencias inherentes. Como mínimo, los planetas retrógrados tienden a debilitarse, especialmente en lo que respecta a sus influencias favorables, que se ven disminuidas. El movimiento retrógrado se analiza de forma diferente en relación con las progresiones secundarias y la dirección del arco solar. Según las progresiones secundarias, un planeta que avanza un día en realidad retrocede en la carta y se dirige en sentido contrario a las agujas del reloj.

Estrés, dificultades y tensiones son algunos de los resultados que la mayoría de los astrólogos asocian hoy en día a los movimientos retrógrados. Como siempre, la forma en que se manifestarán estos efectos dependerá de los planetas retrógrados, teniendo en cuenta sus respectivos rasgos. Si se trata de Marte, por ejemplo, en algunas personas pueden surgir problemas de agresividad o letargo, del mismo modo que Mercurio retrógrado puede provocar falta de comunicación e incapacidad para expresarse.

Sin embargo, hay astrólogos que interpretan algunos retrógrados de forma diferente. A saber, algunos creen que el hecho de que un planeta cambie su movimiento directo a retrógrado no tiene un efecto predeterminado en uno u otro sentido. En cambio, estos astrólogos piensan que el cambio de dirección del planeta simplemente afecta a la forma en que una persona se ocupa del área de su vida afectada por el planeta en cuestión. Esto puede ir en ambos sentidos, por supuesto, y el resultado dependerá de muchos factores específicos de cada persona. Como tal, estos astrólogos ven los retrógrados y sus resultados como algo muy dinámico y cambiante. En el lado positivo de la ecuación, algunos astrólogos sostienen que los retrógrados pueden conducir a una liberación repentina de la energía planetaria en lugar de la represión.

Por otro lado, una minoría de astrólogos no atribuye tanta importancia a los retrógrados, especialmente en cuanto a los planetas exteriores. Esto se debe principalmente a que estos planetas son retrógrados el 40% del tiempo. No obstante, se trata de una opinión minoritaria y, por lo general, los retrógrados son un factor astrológico que la mayoría de los astrólogos tienen en cuenta a la hora de leer cartas y horóscopos. Por lo tanto, es una buena idea leer más sobre los retrógrados, ya que son un tema algo complejo con muchos ángulos diferentes a tener en cuenta. Incluso entre los astrólogos sigue habiendo algunas preguntas sin respuesta y desacuerdos sobre los retrógrados. Sin embargo, el consenso general estipula que los retrógrados son, como mínimo, un momento para ser precavido y más cauteloso con las influencias planetarias. Por lo menos, es la forma de mantenerse en el lado seguro.

Guía paso a paso para leer una carta progresada

Una carta progresada es una herramienta astrológica que puede utilizarse para comprender mejor su situación actual y su posible trayectoria futura. Mientras que una carta natal representa dónde estaban los planetas en el momento de su nacimiento, una carta progresada simboliza las posiciones planetarias actuales basadas en su edad. Hay varias formas de calcular una carta progresada, pero el método más utilizado es progresar cada planeta un grado por cada año después del nacimiento. Aquí tiene una guía paso a paso para leer una carta progresada:

Determine las posiciones planetarias

El primer paso consiste en identificar el planeta que se encuentra actualmente en la posición más importante de su carta. Este planeta se denomina «señor de la carta». El señor de la carta estará situado en una de las doce casas de su carta natal. Cada casa representa un área diferente de la vida, por lo que el señor de la carta puede proporcionar pistas sobre qué áreas de su vida se ven más afectadas por las influencias planetarias actuales.

Una vez determinado el señor de la carta, puede empezar a observar los demás planetas de su carta progresada. Cada planeta estará situado en una casa diferente, y cada casa representará un área diferente de la vida. Interpretando la posición de cada planeta, podrá comprender mejor la evolución potencial de cada área de su vida.

Considere los aspectos

Al igual que en una carta natal, los aspectos de una carta progresada pueden decir mucho sobre la energía y la dinámica en juego en la vida de una persona. La carta progresada es una instantánea de dónde se encuentra una persona en un momento concreto de su vida, por lo que los aspectos cambiarán con el tiempo. Por ejemplo, si una persona tiene muchos aspectos duros en su carta natal, es posible que experimente algunas dificultades al principio de su vida, pero a medida que envejece y estos aspectos empiezan a suavizarse, es posible que las cosas le resulten más fáciles.

Lo mismo ocurre con las personas con aspectos fáciles en su carta natal. Es posible que lo tenga más fácil al principio de su vida, pero a medida que los aspectos empiecen a endurecerse, es posible que las cosas le resulten más difíciles. Hay muchas maneras de interpretar los aspectos de una carta progresada, por lo que es importante investigar un poco y encontrar el enfoque que mejor se adapte a usted. Con el tiempo y la práctica, será capaz de leer las progresiones como un profesional.

Cada planeta reaccionará de forma diferente a un cambio de dirección, dependiendo de sus circunstancias y rasgos inherentes. Un caso especialmente influyente, aunque poco frecuente, es cuando un planeta en tránsito cambia de dirección poco después o justo cuando pasa por un punto importante de su carta natal. Por ejemplo, un planeta en tránsito puede pasar sobre uno de sus planetas o casas natales en movimiento regular y directo, sólo para entrar en retrógrado y regresar por el mismo punto inmediatamente. A veces, un planeta puede volver a cambiar de dirección y cruzar el punto natal por tercera vez. Esta influencia volátil puede provocar un periodo de cambio y evolución constantes en su vida, para bien o para mal.

Bonus: ¡La práctica astrológica hace al maestro!

Comprender la teoría es una cosa, y sólo la mitad del camino, ya que lo siguiente es aplicar lo aprendido en la práctica. Esto es cierto en astrología, como en cualquier otra cosa en la vida. Practicar la astrología es importante porque ayudará a comprender algunos de los puntos más delicados y a formar una idea de las áreas más importantes en las que debe centrarse. Con el tiempo, adquirirá destreza y se convertirá en un verdadero astrólogo aficionado.

Leer su carta natal es una parte importante de la práctica de la astrología en su vida diaria, pero hay otras medidas prácticas que también puede tomar. Ahora que hemos cubierto todos los fundamentos, terminaremos con algunos consejos prácticos e ideas para empezar a practicar lo que ha aprendido hoy mismo.

Ejercicios de astrología práctica

La astrología tiene que ver con el autocuidado, con conocerse a uno mismo y, en general, con mejorar la vida. Estas cosas deberían ser siempre el centro de atención cuando se practica la astrología a diario. Sin embargo, el primer paso práctico es simplemente mejorar. Estudie y repita las cosas que ha aprendido en este libro y utilícelas como base para seguir aprendiendo. Lo más importante es que practique cuanto antes, ya que siempre es la mejor manera de afianzar sus conocimientos teóricos. Si quiere aprender más, practicar y aprender nuevos trucos, una de las mejores cosas que puede hacer es tomar clases o cursos de astrología, ya sea en línea o en la vida real.

Leer su carta natal y su carta progresada es uno de los ejercicios más comunes que puede hacer en astrología. Sin embargo, no hay mucho que leer en la carta natal fija, así que son las cartas progresadas y el seguimiento de los tránsitos planetarios los que permitirán dedicar mucho más tiempo a la astrología. Familiarícese a fondo con los entresijos de cada planeta con más profundidad de la que hemos explorado en este libro, ya que esto permitirá convertirlo en un pasatiempo diario. Siempre hay cosas que analizar sobre los planetas, cómo se mueven y hacia dónde se dirigen, con todas las implicaciones que estas cosas tienen para usted. Y además, puede y debe hacer lo mismo con otras personas.

Otro gran ejercicio a largo plazo que puede retomar con regularidad es llevar un diario astrológico. Un diario puede ser especialmente útil si intenta seguir los tránsitos diarios de su planeta. Puede ser un pasatiempo divertido que le ayudará a mejorar en astrología práctica, pero también será una buena oportunidad para llevar un registro de cómo se siente y de lo que piensa, que más adelante podrá analizar desde una perspectiva astrológica.

La astrología práctica también puede combinarse con otras prácticas, como el tarot. El tarot es otra disciplina con la que quizá no esté familiarizado, pero baste decir que existen solapamientos con la astrología. Sacar una carta del tarot diario es una oportunidad para involucrarla, ya que su carta tendrá una cierta correlación astrológica. Si practica el tarot, entonces es una buena idea buscar estas correlaciones y ver cómo estas dos aficiones podrían complementarse en su caso.

El cuidado personal en general es otro ámbito en el que la astrología tiene cabida. Si tiene un intrincado conjunto de rituales de autocuidado diarios o semanales, puede interesarle saber que las características y energías de su signo zodiacal pueden hacer que algunos rituales de autocuidado sean más importantes que otros. Merece la pena investigarlo porque puede ayudar a sacar el máximo partido a su tiempo de relajación y autocuidado. Los distintos signos se benefician de rituales diferentes y tienen preferencias distintas. Tomemos como ejemplo el contraste entre Tauro y Aries. Tauro suele ser un signo de serenidad y calma, por lo que a los toros les vienen bien los momentos tranquilos en los que se bebe té, se ponen velas aromáticas y otros placeres nocturnos similares. Por otro lado, Aries es un signo que siempre está a la caza de nuevas emociones, por lo que su idea del cuidado personal suele ser muy diferente.

Otro ejercicio que puede ayudar a aprender más cosas a la vez que se divierte es hacer cuestionarios astrológicos. Internet está lleno de cuestionarios gratuitos que, a partir de sus respuestas a una serie de preguntas, aplican algunos principios astrológicos y obtienen resultados sobre diversos temas. Algunos hacen conjeturas sobre su futuro próximo, mientras que otros intentan orientarle en sus relaciones, trabajo y otras áreas de interés. También hay cuestionarios astrológicos que sólo sirven para divertirse. En general, los cuestionarios no darán las lecturas más precisas, ya que suelen ser bastante generalistas, pero pueden ser una forma divertida de participar en la astrología.

En gran medida, la astrología será lo que usted haga de ella. Todo lo que ha aprendido en este libro se puede aplicar en diversos ámbitos de la vida y en la medida que elija. Tiene total discreción sobre cuánto quiere comprometerse y con qué profundidad quiere profundizar. Como puede ver, la astrología práctica se reduce sobre todo a leer y analizar cosas o a hacer ajustes en su vida y en su rutina basándose en la astrología.

Consejos y trucos adicionales

Uno de los consejos más fundamentales que puede darle la astrología práctica contemporánea es que utilice recursos en línea. Hay muchos recursos astrológicos gratuitos en línea que pueden ayudar no sólo a hacer una carta natal, sino también a leerla. Este libro ha dado los fundamentos para hacer una lectura básica de la carta natal, pero siempre se puede profundizar más.

Varios sitios web tienen diferentes herramientas que puede utilizar para obtener horóscopos más personalizados y adaptados que ayudarán a obtener una visión más profunda de su personalidad y prácticamente todas las áreas de su vida. Algunas personas recurren a la astrología porque están interesadas en áreas específicas de su vida, como las relaciones, la salud o los negocios. Muchos recursos en línea se centran exclusivamente en estos aspectos y permiten obtener muchos más detalles de los que obtendría a través de un horóscopo más general u otra lectura astrológica.

Si se está iniciando en la astrología, otra cosa que puede buscar es un diccionario astrológico, algunos de los cuales están disponibles en línea. Aparte de las interpretaciones y la materia teórica que obtiene de recursos como este libro, es bueno familiarizarse pronto con toda la terminología y jerga de la que está repleta la astrología. Cuando domine todos los términos, resultará mucho más fácil profundizar en los conceptos más complejos y aprender más.

También es siempre una buena idea relacionarse con otras personas con intereses similares, sobre todo si le gusta socializar. Son innumerables las personas interesadas en la astrología en Internet y en la vida real, y les encanta compartir sus conocimientos, interpretaciones, experiencias e ideas. Tanto los principiantes como los astrólogos experimentados pueden beneficiarse de ello, y es algo que puede hacer fácilmente gracias a los foros en línea y otros lugares similares de reunión digital.

Debería estudiar la posibilidad de conseguir una efeméride, que se puede comprar o adquirir en Internet. Básicamente, se trata de una lista o un libro con todos los movimientos planetarios relevantes que se producen cada día, lo que es una forma estupenda de determinar qué tránsitos planetarios se producirán y cuándo. Una efeméride también puede ayudarle a predecir los retornos planetarios para planificar con antelación estos importantes acontecimientos astrológicos. Una efeméride anual debería proporcionar esta información para los 365 días, lo que es suficiente para permitirle planificar con antelación y prepararse para tránsitos importantes.

Si compra una efeméride como la *American Ephemeris* impresa, obtendrá mucho más en términos de diseño, información adicional y utilidad general. Sin embargo, cualquier efeméride online gratuita para el análisis básico de tránsitos servirá incluso para un astrólogo experimentado, por no hablar de un novato. Recuerde que leer las efemérides de forma significativa dependerá de su comprensión de los planetas, de la velocidad a la que se mueven, de los signos que atraviesan, de las características de esos signos, etcétera. Sin duda es un asunto complicado, así que puede ver por qué la astrología requiere mucha práctica para dominarla.

Sin efemérides, puede echar un vistazo a los tránsitos planetarios haciendo una carta natal para una fecha futura. Es una especie de trampa que puede utilizar para echar un vistazo al futuro, ya que podrá comparar las posiciones planetarias y determinar cómo y hacia dónde se mueven en el momento actual.

Por último, pero no por ello menos importante, recuerde utilizar la astrología en todo su potencial. Para sacarle el máximo partido, aplíquela a sus amigos, familiares y otras personas que le importen, no sólo a usted mismo. Si hay alguien en su vida con quien está intentando conectar mejor o mejorar la relación, siempre es bueno conseguir su carta astral y leerla. A muchas personas no se les da bien expresarse y, aunque las conozca desde hace años, muchas cosas pueden pasar desapercibidas. Su carta astral permitirá echar un vistazo a su alma inexpresada, y es probable que llegue a comprender mucho mejor a sus seres queridos.

Conclusión

Siempre que recuerde que la astrología no es una ciencia exacta y que no curará enfermedades ni resolverá todos sus problemas mientras usted se sienta y se relaja, puede ser una muy buena amiga. No se trata sólo de los consejos y la orientación que puede proporcionar la astrología. Involucrarse en la astrología práctica a menudo lo pondrá en el camino de darse cuenta de cosas nuevas sobre usted mismo y sobre los demás, lo que con frecuencia es el empujón perfecto para ayudar a obtener las respuestas que necesita. Estas respuestas pueden ayudarle a reparar o profundizar relaciones, tomar ciertas decisiones, aprender cosas importantes sobre usted mismo y mucho más.

Como ha visto en este libro, la astrología tiene muchas capas, y realmente depende de usted decidir hasta qué punto quiere profundizar en la práctica. Esto depende de lo que quiera conseguir con la astrología práctica, pero en general, incluso un enfoque muy informal puede ayudar a aprender bastantes cosas interesantes por el camino. Lo importante es que la astrología debe servir sobre todo para orientar y comprender. Si en el curso de sus lecturas astrológicas descubre cosas que no le gustan sobre usted mismo y sus perspectivas, debe recordar que el curso de su vida dependerá en última instancia de usted.

Uno de los puntos fuertes de la astrología es ayudar a dar cuenta de los cambios que debe hacer en su vida. La superación personal es uno de los temas principales para muchas personas que se adentran en la astrología, y ése es sin duda un papel que la astrología práctica desempeña muy bien. No cambiará su vida por sí sola, pero sin duda puede poner en marcha la bola de nieve de los cambios positivos y, con suerte, este libro habrá sido un recurso valioso para cuando llegue a ese punto.

Vea más libros escritos por Mari Silva

Su regalo gratuito

¡Gracias por descargar este libro! Si desea aprender más acerca de varios temas de espiritualidad, entonces únase a la comunidad de Mari Silva y obtenga el MP3 de meditación guiada para despertar su tercer ojo. Este MP3 de meditación guiada está diseñado para abrir y fortalecer el tercer ojo para que pueda experimentar un estado superior de conciencia.

https://livetolearn.lpages.co/mari-silva-third-eye-meditation-mp3-spanish/

Recursos

5 planetas enanos menores en astrología y sus significados. (2021, 25 de febrero). YourTango. https://www.yourtango.com/2021339761/dwarf-minor-planets-meanings-astrology#:~:text=Makemake%20symbolizes%20a%20connection%20to

Astrología, signos del zodiaco, fechas, significados y compatibilidad. (2000). Astrology-Zodiac-Signs.com. https://www.astrology-zodiac-signs.com/

12 signos del zodiaco: Todo lo que necesita saber | Astrology.com. (s.f.). Www.astrology.com. https://www.astrology.com/zodiac-signs

Breve historia de la astrología. (2020). Astrograph.com. https://www.astrograph.com/learning-astrology/history.php

Una introducción a las progresiones secundarias | Educación Astrológica Kepler. (s.f.). Www.keplercollege.org .

Archivo, V. A., & alimentación, G. autor R. (2021, 16 de noviembre). ¿Qué es una carta natal en astrología - y cómo se lee una? New York Post. https://nypost.com/article/astrology-birth-chart/

Los asteroides en la astrología y su significado | Astrology.com. (s.f.). www.astrology.com . de https://www.astrology.com/asteroids

Planetas en astrología y su significado, símbolos de los planetas y Cheat Sheet. (2018, 27 de enero). Labyrinthos. https://labyrinthos.co/blogs/astrology-horoscope-zodiac-signs/astrology-planets-and-their-meanings-planet-symbols-and-cheat-sheet

Tobing, B. (2021, 7 de octubre). Así es como los aspectos de su carta astral desempeñan un papel importante en su vida cotidiana. POPSUGAR Smart Living. https://www.popsugar.com/smart-living/what-aspects-mean-in-astrology-48534359#:~:text=Simply%20put%2C%20aspects%20refer%20to

Beringer-Tobing, B. (2022, 8 de abril). Cada asteroide mayor en astrología, explicado. POPSUGAR Smart Living. https://www.popsugar.com/smart-living/asteroids-astrology-48779069#:~:text=Asteroids%20can%20tell%20you%20a

Besley, T. (2017, 17 de enero). Cómo hacer de la astrología una práctica habitual en su vida. The Little Red Tarot Blog. http://blog.littleredtarot.com/make-astrology-regular-practice/

Brennan, C. (2007, 19 de octubre). 10 consejos para aprender astrología. The Horoscopic Astrology Blog. http://horoscopicastrologyblog.com/2007/10/19/10-tips-for-learning-astrology/

Brown, M. (2021, 11 de agosto). ¿Qué es la astrología en realidad? InStyle. https://www.instyle.com/lifestyle/astrology/what-is-astrology

Campos, S. N. (s.f.-a). Olvídese de su signo solar: el emparejamiento de sus nodos arroja luz sobre su trayectoria vital | Astrology.com. Www.astrology.com.de https://www.astrology.com/article/nodes-north-south-pairings-destiny-zodiac/Campos, S. N. (s.f.-b). Sus nodos norte y sur guardan las claves de su karma | Astrology.com. Www.astrology.com.de https://www.astrology.com/article/nodes-north-south-moon-karma-destiny/

Coughlin, S. (2017, 4 de diciembre). Esos misteriosos símbolos astrológicos, explicados. Www.refinery29.com. https://www.refinery29.com/en-us/zodiac-astrology-symbols-meanings#slide-1

Coughlin, S. (2018a, 1 de junio). Qué significa realmente cuando su horóscopo menciona un «tránsito». Www.refinery29.com, https://www.refinery29.com/en-us/transit-astrology-meaning-natal-planets

Coughlin, S. (2018b, 20 de septiembre). Esta carta astrológica muestra cómo cambia su personalidad con el tiempo. Www.refinery29.com. https://www.refinery29.com/en-us/progressed-birth-chart-astrology-meaning

Coughlin, S. (2022, 3 de mayo). Cómo dar sentido a su carta astral. Www.refinery29.com, https://www.refinery29.com/en-us/2016/11/129929/birth-chart-analysis-natal-astrology-reading

Cristales y astrología; ¿qué tienen en común? (2020, 14 de mayo). Happinez.com.

Dawn, C. (2021, 18 de abril). Fundamentos de Astrología - Como es arriba es abajo. Moonstone Lightworks.

DeSimone, M. (2021, 29 de noviembre). El significado de las cartas natales progresadas en astrología. Tarot.com. (s.f.). Breve Historia de la Astrología. Ephemeris. https://ephemeris.co/pages/a-brief-history-of-astrology

Faragher, A. K. (2021, 8 de junio). Qué representa cada «casa» en su carta natal. Allure. https://www.allure.com/story/12-astrology-houses-meaning

TranslatorHall, M. (2018, 30 de abril). Entender los fundamentos de la astrología. LiveAbout. https://www.liveabout.com/what-is-astrology-206723

HISTORIA DE LA ASTROLOGÍA. (2019). Historyworld.net. http://www.historyworld.net/wrldhis/PlainTextHistories.asp?historyid=ac32

Historia de la astrología occidental. (s.f.). TheFreeDictionary.com. https://encyclopedia2.thefreedictionary.com/History+de+la+Astrología+Occidental

Cómo interpretar los nodos norte y sur para encontrar su verdadero propósito. (2020, 28 de diciembre). Mindbodygreen. https://www.mindbodygreen.com/articles/astrology-101-north-nodes-south-nodes-reveal-your-life-purpose/

Cómo interpretar su carta natal. (n.d.). Tree of Life. https://treeoflife.com.au/blogs/news/how-to-interpret-your-birth-chart#:~:text=A%20Birth%20Chart%20is%20what

Cómo leer las progresiones secundarias. (s.f.). Two Wander. https://www.twowander.com/blog/how-to-read-secondary-progressions

Cómo leer su carta natal como un astrólogo. (2019, 31 de enero). Mindbodygreen. https://www.mindbodygreen.com/articles/how-to-read-your-astrology-birth-chart/

Jan. 2, J. W. |, & 2022. (2022, 2 de enero). Las 12 casas de la astrología, explicadas. PureWow. https://www.purewow.com/wellness/12-houses-of-astrology

Junio, S. (2021, 21 de septiembre). La Luna Negra Lilith en astrología, explicada. Nylon. https://www.nylon.com/life/black-moon-lilith-astrology

Kahn, N. (2018, 17 de octubre). ¿Qué significan los nodos norte y sur en astrología? le muestran cómo abrazar su destino. Bustle. https://www.bustle.com/p/what-do-north-nodes-south-nodes-mean-in-astrology-they-show-you-how-to-embrace-your-destiny-12577188

Kathryn. (2021, 19 de febrero). Tránsitos Astrológicos - ¿Qué son y cómo puede trabajar con ellos? Kathryn Hocking. https://kathrynhocking.com/transits-in-astrology/

Lantz, P. (s.f.). Progresión astrológica para principiantes. LoveToKnow. https://horoscopes.lovetoknow.com/about-astrology/astrological-progression-beginners

Aprende Astrología: 10 consejos para principiantes. (2021, 26 de septiembre). MIND IS the MASTER. https://mindisthemaster.com/learn-astrology/

Aspectos mayores y menores. (s.f.). Inicio

Significado de los aspectos planetarios mayores - Relación entre los planetas en astrología, signos zodiacales y cartas natales. (s.f.). Labyrinthos. https://labyrinthos.co/blogs/astrology-horoscope-zodiac-signs/planetary-aspect-meanings-relationship-between-planets-in-astrology-zodiac-signs-and-natal-charts

Massony, T. (2022, 5 de enero). Los periodos retrógrados de cada planeta en 2022. POPSUGAR Smart Living. https://www.popsugar.com/smart-living/what-planets-are-retrograde-right-now-48669539

Aspectos menores en astrología: Quincuncio, Semicuadrado, Semiextil, Quintil. (2021, 13 de agosto). Astrología Avanzada. https://advanced-astrology.com/minor-aspects/

Aspectos astrológicos menores y el dominio de la magia. (2019, 30 de mayo). Nómada del tiempo. https://timenomad.app/posts/astrology/philosophy/2019/05/30/minor-aspects-domain-of-magic.html#:~:text=Minor%20astrological%20aspects%20are%20responsible

Odisea, D. (s.f.). Asteroids In Astrology & Their Meanings, Explained (Los asteroides en la astrología y sus significados, explicados). Nylon. https://www.nylon.com/life/asteroids-astrology-meaning

Orion, R. (2021, 10 de agosto). Cómo identificar patrones generales en su carta astrológica natal. Dummies. https://www.dummies.com/article/body-mind-spirit/religion-spirituality/astrology/how-to-identify-overall-patterns-on-your-astrological-birth-chart-268214/

Pholus - El poder de las pequeñas acciones que conducen a grandes despertares. (s.f.). 12andUs. https://12andus.com/blog/view/396023/pholus-the-power-of-small-actions-leading-to-great-awakenings

Colores Planetarios y Piedras Preciosas. (s.f.). Júpiter

Regan, S. (2022, 19 de abril). Los aspectos más y menos afortunados de la carta zodiacal, según los astrólogos. Mindbodygreen. https://www.mindbodygreen.com/articles/aspects-in-astrology

Robinson, K. (s.f.). Nodo norte en astrología: significado, signos, símbolo | Astrology.com. www.astrology.com. https://www.astrology.com/article/north-node-meaning/

Rudhyar, D. (s.f.). Understanding the Basics of Astrology | Astrología básica para principiantes. Dawn Mountain. http://www.dawnmountain.com/understanding-the-basics-of-astrology/

Progresiones Secundarias. (s.f.). Astrolibrary.org. https://astrolibrary.org/category/progressions/

Progresiones Secundarias | Cafe Astrology .com. (s.f.). Cafeastrology.com. https://cafeastrology.com/secondaryprogressions.html

Progresiones Secundarias: Más | Cafe Astrology .com. (s.f.). Cafeastrology.com. https://cafeastrology.com/astrologyofprogressions.html

Sloan, E. (2021, 13 de julio). Esto es lo que realmente significa cada planeta en astrología, para que pueda comprender su carta astral con mayor profundidad. Well+Good. https://www.wellandgood.com/meanings-of-planets-in-astrology/

Solar Arc Directions. (s.f.). Escuela de Astrología. https://astrologyschool.net/solar-arc-directions/